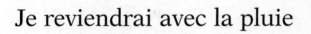

Je reviendrai avec la pluie

Takuji
ICHIKAWA

Je reviendrai
avec la pluie

ROMAN

*Traduit du japonais
par Mathilde Bouhon*

Titre original :
IMA, AI NI YUKIMASU

© Takuji Ichikawa, 2003
All rights reserved
Original Japanese edition published in 2003 by Shogakukan Inc, Tokyo.
French translation rights arranged with Shogakukan Inc.
through Vicki Satlow Literary Agency and Japan UNI Agency, Inc.

Pour la traduction française :
© Flammarion, 2012

1

Voici ce que je me suis dit quand Mio est morte.

Celui qui a créé notre planète n'en a-t-il pas conçu une autre en même temps, quelque part dans l'univers ?

La planète où vont les défunts.

La planète Archive.

« Archevie ? » a demandé Yûji.

Non, Archive.

« Archevie ? »

Archive.

« Arche... a commencé Yûji, puis il a réfléchi un instant avant d'ajouter :...vie ? »

Peu importe.

C'est comme une vaste bibliothèque, très calme, immaculée et bien ordonnée.

En tout cas c'est un lieu immense, dont les bâtiments sont traversés par des corridors se déroulant à perte de vue.

Les personnes qui ont quitté notre monde y mènent une vie paisible.

Cette planète, si tu veux, c'est un peu comme le fin fond de notre cœur.

« Comment ça ? » a demandé Yûji.

N'est-ce pas ce qu'ils ont tous dit, dans la famille, quand Mio est morte ? Qu'elle était là, dans ton cœur...

« Hmm. »

Voilà, cette planète, c'est l'endroit où toutes les personnes contenues dans le cœur des habitants de ce monde se réunissent pour vivre. Tant qu'il reste quelqu'un pour penser à une personne, celle-ci continue d'y résider.

« Et si ce quelqu'un oublie cette personne ? »

Hmm... Dans ce cas, elle doit quitter la planète.

Et là, c'est au revoir pour de bon.

Le dernier soir, tous ses amis se réunissent pour une fête d'adieu.

« Ils mangent du gâteau ? »

Oui, ils mangent du gâteau.

« Et de l'ikura ? »

Oui, il y a aussi de l'ikura. (Yûji raffole des œufs de saumon.)

« Et quoi d'autre... »

Il y a de tout. Tu n'as pas à t'inquiéter.

« Dis, Jim Bouton aussi, il est sur cette planète ? »

Pourquoi ?

« Parce que, moi je le connais, Jim Bouton. C'est pareil que s'il était "dans mon cœur", non ? »

Hmm... (Il me demande probablement cela parce que je lui ai lu *Jim Bouton et Lucas le chauffeur de locomotive* la veille.) Oui, je suppose.

« Et Emma ? Elle y est, Emma ? »

Pas Emma, non.

Là-bas, il n'y a que des personnes.

« Ah… » a dit Yûji.

Il y a Jim Bouton et il y a Momo.

Il y a le Petit Chaperon rouge, et Anne Frank, bien sûr. Même Hitler et Rudolf Hess y sont, sans doute.

Aristote et Newton aussi.

« Mais qu'est-ce qu'ils font tous ? »

Ce qu'ils y font ? Ils coulent des jours paisibles.

« C'est tout ? »

Eh bien, je ne sais pas… Je me demande s'ils réfléchissent tous à quelque chose.

« Réfléchir ? À quoi ? »

À des choses incroyablement compliquées. Qui demandent beaucoup de temps avant qu'on y trouve une réponse. Du coup, même une fois là-bas, ils réfléchissent énormément.

« Maman aussi ? »

Non, maman, elle pense à toi.

« Vraiment ? »

Vraiment.

C'est pourquoi toi non plus tu ne l'oublieras jamais.

« Je ne l'oublierai pas. »

Mais tu es petit. Tu n'as passé que cinq ans en sa compagnie…

« Hmm… »

Alors je te raconterai plein de choses.

Quel genre de jeune fille était ta maman.

Comment on s'est rencontrés, comment on s'est mariés.

Et puis, combien elle a été heureuse, quand tu es né.

« Hmm. »

Je veux que tu te souviennes.

Si je dois retrouver maman le jour où j'irai sur cette planète, il faut que tu te souviennes, absolument.

Tu comprends ?

« Hmm ? »

Oh, ça ne fait rien.

2

« Tu es prêt à partir pour l'école ?

— Comment ?

— Tu es prêt ? Tu as bien épinglé ton nom ?

— Hein ? »

Pourquoi est-il si dur d'oreille ? Ce n'était pas le cas du temps de Mio. Je me demande si c'est dû à quelque désordre émotionnel.

« Bon, c'est l'heure. On y va ? »

J'ai pris la main de Yûji, déjà à moitié reparti au pays des songes, pour sortir de l'appartement. Je l'ai confié à son chef de groupe qui attendait au pied de l'escalier et les ai regardés s'éloigner. À côté de ce garçon de douze ans, Yûji avait l'air d'un bébé. À six ans, il était encore petit pour son âge. Comme s'il avait oublié de grandir.

Vue de dos, sa nuque était blanche et fine comme celle d'une grue. Les cheveux qui dépassaient de sa casquette jaune avaient la couleur du Darjeeling au lait.

Pourtant, même ces cheveux dignes d'un prince anglais se changeraient, après quelques années, en d'épaisses mèches bondissantes.

J'ai moi-même suivi ce chemin. C'est l'œuvre des myriades de substances chimiques sécrétées à la puberté. À cette période, Yûji grandira

11

beaucoup lui aussi, et avant longtemps il m'aura dépassé. Puis il sortira avec une jeune fille qui sera le portrait de sa mère, ils s'aimeront, et, si tout va bien, créeront un jour une copie avec la moitié de ses gènes.

C'est ce qu'ont fait les humains depuis la nuit des temps (à vrai dire, c'est ce qu'ont fait tous les êtres vivants), et cette routine se perpétuera tant que notre planète continuera de tourner.

J'ai enfourché mon vieux vélo garé sous l'escalier et me suis mis à pédaler en direction du cabinet juridique où je travaille, qui n'est qu'à cinq minutes. J'ai de la chance que la distance soit si courte, car je supporte mal les transports.

Voilà déjà huit ans que je travaille dans ce cabinet.

C'est une durée non négligeable. Je me suis marié, ai eu un enfant, puis mon épouse a quitté notre planète pour une autre. Huit ans suffisent à ce que tout cela se produise.

Et c'est ainsi que je me suis retrouvé père célibataire d'un garçon de six ans. Mon chef me facilite la tâche.

Déjà âgé il y a huit ans, il est aujourd'hui encore un vieil homme, et nul doute qu'il le sera jusqu'à sa mort. Je ne puis m'imaginer un chef qui ne soit un vieillard. Je ne sais pas son âge exact. Il doit avoir plus de quatre-vingts ans, assurément.

On dirait un saint-bernard avec son tonneau de liqueur autour du cou. Sauf qu'à la place, le chef arbore un double menton. Mais il a le même air gentil et doux, il cligne des mêmes yeux ensommeillés.

12

Peut-être que si on installait un vieux saint-bernard à la place du chef derrière le bureau du fond, je ne m'en rendrais même pas compte.

J'ai toujours été de faible constitution, mais à la mort de Mio, je suis devenu plus frêle encore, au point même de ne plus avoir assez de force pour respirer. J'en suis venu pendant une longue période à négliger mon travail, ce qui a causé bien des tracas au cabinet. En dépit de cela, le chef a patiemment attendu que je me ressaisisse, sans chercher à me remplacer. Aujourd'hui encore, je suis autorisé à quitter le bureau à quatre heures afin de rentrer chez moi. Le chef prend en compte mon souhait de ne pas laisser Yûji tout seul au retour de l'école. Cela implique une légère réduction de salaire, mais me permet de gagner un temps précieux que l'argent ne saurait acheter.

J'ai entendu dire que d'autres villes proposaient un service de garderie après l'école, mais nous n'avons pas de système comparable ici.

C'est pourquoi je me dis que j'ai beaucoup de chance.

Au bureau, j'ai salué Mlle Nagase, arrivée avant moi.

« Bonjour. »

Elle m'a rendu mon salut.

« Bonjour. »

Elle était déjà employée quand j'ai intégré le cabinet. Elle m'a dit avoir été engagée dès sa sortie du lycée ; elle doit donc avoir près de vingt-six ans. C'est une jeune femme réservée et sérieuse, dont le visage docile reflète bien la nature profonde.

Parfois je m'inquiète et me demande si elle a sa place au milieu de toutes ces jeunes femmes fières et extraverties.

Une poussée du coude, un petit coup de pied, et ne risquerait-elle pas de se trouver un jour éjectée des confins du monde ? C'est le genre de réflexion que je me fais.

Le chef n'était pas encore là.

Il arrive de plus en plus tard ces derniers temps. Mais je ne pense pas que cela ait un quelconque lien avec son rythme de marche.

Ainsi, pendant un petit moment, nous n'étions que deux au bureau. C'est tout. Un effectif approprié, compte tenu de la quantité de travail à accomplir.

Une fois assis à mon bureau, j'ai parcouru des yeux la totalité des pense-bêtes accrochés au panneau d'affichage. « Banque 14 h », « récupérer documents client », ou encore « aller à l'antenne juridique locale ! », griffonné en caractères illisibles. Des notes envoyées par le moi d'hier au moi d'aujourd'hui.

J'ai la mémoire courte. J'ai donc pris l'habitude de me laisser des messages concernant les tâches à accomplir.

Cette faible mémoire n'est qu'un de mes nombreux défauts. Elle constitue bien la preuve que le mode d'emploi utilisé lors de ma construction comportait des erreurs. Un segment en particulier.

Probablement effacé d'un coup de blanc, par-dessus lequel aucune nouvelle inscription au stylo-bille ne tient. Bien sûr, c'est une métaphore, mais je pense que la réalité ne doit pas être très éloignée.

En tout cas, je ne sais si c'est l'inscription qui est brouillée, ou si ce sont les caractères en dessous qui ont refait surface, mais toujours est-il que dans ma tête, certaines substances chimiques très puissantes sont sécrétées au hasard pour donner lieu à des situations follement imprévisibles. Cela fait de moi l'une de ces personnes trop facilement excitables, qui ressentent des émotions totalement inappropriées, incapables d'effacer ce qu'il vaudrait mieux oublier, et promptes à omettre les choses à retenir absolument.

C'est extrêmement incommode. Mes activités s'en trouvent limitées, cela m'épuise. Je fais souvent des erreurs dans mon travail, et je suis injustement sous-estimé par les autres.

Autrement dit, on me traite comme un incompétent. Je ne me justifie pas en disant que c'est entièrement la faute de mes substances chimiques. C'est ennuyeux, on me comprend mal, et en fin de compte, si l'on se base uniquement sur le résultat final, cela semble juste.

Le chef, magnanime, continue de m'employer sans relâche. Nagase-san veille discrètement sur moi et garde un œil sur mon travail.

Je leur en suis très reconnaissant.

Après m'être occupé de quelques tâches au bureau, j'ai glissé des documents dans ma serviette et suis sorti. J'ai pris mon vélo jusqu'à l'antenne juridique locale.

Je n'ai pas le permis de conduire. J'ai essayé de l'obtenir durant ma deuxième année à l'université, mais sans jamais réussir à dépasser le stade du permis temporaire.

Quelques mois avant cela, j'avais pris conscience d'une anomalie de mon cerveau. Un interrupteur a basculé avec un « clic », une ampoule s'est illuminée, puis l'aiguille de ma jauge de niveau s'est affolée. C'est pourquoi, lorsque j'ai tenté de passer mon permis, j'étais encore dans un état de confusion substantielle. Peut-être valait-il mieux pour moi de n'atteindre que le permis temporaire.

Ce jour-là, assis à côté de l'instructeur, tandis que je m'installais dans le siège du conducteur, mon sang était irrigué de ces substances chimiques citées plus haut. Je me sentais plus anxieux que nécessaire, incapable de me concentrer suffisamment. Mon angoisse était pareille à une cascade de dominos grandissante s'élargissant avec une extraordinaire énergie.

Même si on aurait pu qualifier ce mouvement d'exponentiel, son caractère extraordinaire était véritablement extraordinaire.

On dirait que je vais mourir.

Je me demande sincèrement si ce n'est pas le cas.

À cette époque, je le pensais quotidiennement, des dizaines de fois (et même maintenant, cela m'arrive encore, quelques fois par jour).

Alors, j'ai annulé l'examen. Cela s'est reproduit deux fois par la suite, après quoi j'ai renoncé au permis de conduire.

À l'heure du déjeuner, assis sur un banc dans un parc, j'ai mangé un bentô que j'avais préparé moi-même. Dans mon quotidien frugal, je m'empresse d'économiser tout ce qui peut l'être.

Et puis, je tombe systématiquement malade lorsque je mange des bentô achetés dans des supérettes. La faute aux additifs qui, s'ils conviennent à d'autres, peuvent dans mon cas s'avérer fatals.

Les capteurs de mon organisme sont bien plus perceptifs que ceux des personnes normales. Je suis extrêmement sensible aux variations de température, d'humidité ou de pression atmosphérique. C'est pourquoi, afin de pouvoir préparer mon cœur à l'avance, je porte une montre à baromètre intégré.

Les typhons me terrorisent.

Cela étant, j'admire vraiment la résistance des gens ordinaires. Parfois, il m'arrive de me considérer comme un petit animal végétarien en voie de disparition car trop délicat.

Mon nom figure probablement quelque part sur la liste rouge des espèces menacées.

L'après-midi venue, j'ai rendu visite à quelques clients avant de retourner au bureau.

Dans ces moments aussi, je m'assure de toujours garder mes pense-bêtes. Je marque les clients déjà vus d'une croix, afin de voir ceux qu'il me reste. Car si je ne le fais pas, je suis capable de passer deux fois chez le même client, ou encore de rentrer au bureau sans en avoir vu d'autres.

J'ai transmis les documents récupérés chez les clients à Nagase-san, puis j'ai accompli quelques tâches au bureau, après quoi ma journée de travail touchait à sa fin. Aucune apparition du chef.

J'ai dit au revoir à Nagase-san et me suis préparé à partir.

« Excusez-moi… m'a interrompu Nagase-san.

— Qu'y a-t-il ? lui ai-je demandé, mais elle s'est contentée de tirer plusieurs fois sur le col et les manches de son corsage d'un air embarrassé.

— Hmm… a-t-elle répondu. Ce n'est rien.

— Vraiment ? »

J'ai réfléchi une seconde, puis, avec un sourire, je lui ai dit :

« Au revoir.

— Au revoir. »

J'ai foncé à vélo jusqu'à l'appartement, où Yûji était en train de lire un livre, allongé sur les tatamis. Vérification faite d'après la couverture, il s'agissait du *Momo* de Michael Ende.

« Tu arrives à le lire ? lui ai-je demandé.

— Hein ? a dit Yûji en se tournant vers moi.

— Ce livre, tu arrives à le lire ? lui ai-je demandé de nouveau.

— J'y arrive, m'a-t-il répondu. Un petit peu. »

« Je vais acheter de quoi préparer le dîner, ai-je annoncé à Yûji en échangeant mon costume contre un pull-over et un jean. Qu'est-ce que tu veux manger ce soir ?

— Du riz au curry. »

Nous avons ouvert la porte de la chambre et sommes sortis sur le palier. En descendant l'escalier, je lui ai dit :

« Du riz au curry ? On en a mangé avant-hier !

— Mais j'en ai envie.

— Et puis, je suis sûr qu'on en a mangé dimanche, aussi.

— Oui, mais j'en veux quand même.

— Ça va prendre du temps.

— Ça ne fait rien.

— Très bien. »

Nous sommes donc allés au centre commercial en face de la gare, acheter du roux de curry, des oignons, des carottes et des pommes de terre. Je marchais en tenant le sac en plastique dans la main gauche et la main de Yûji dans la droite. Yûji a toujours la paume un peu moite de sueur.

Comme je suis de ceux qui se font plus de souci que nécessaire, chaque fois que nous marchons dans la rue, j'agrippe la main de Yûji pour ne plus la lâcher. Et je lui dis :

« C'est dangereux, les voitures. Il faut faire très attention.

— Hmm.

— Des dizaines de personnes meurent chaque jour dans des accidents de la route.

— C'est vrai ?

— Mais oui. Si le même nombre de personnes trouvait quotidiennement la mort dans des accidents de train ou d'avion, on se dirait qu'il y a un grave problème quelque part avec ces moyens de transport, et on les ferait interdire.

— Alors, les voitures aussi vont disparaître ?

— Au contraire, elles sont de plus en plus nombreuses.

— Pourquoi ?

— Je me le demande...

— C'est étrange. »

C'est étrange, en effet.

Sur le chemin du retour, nous nous sommes arrêtés au parc n° 17. (Combien de parcs cette ville peut-elle bien compter ? J'ai vu un parc n° 21 une fois en passant.)

Comme toujours, le professeur Nombre et Pooh étaient là dans le parc.

Je ne connais pas le vrai nom de Nombre-sensei. Il semblerait que ce surnom lui vienne de sa jeunesse, quand il enseignait en école primaire. La première fois que j'en ai entendu parler, je lui ai demandé :

« Nombre, comme le nombre de pages que compte un roman, par exemple ?

— Précisément », m'a-t-il répondu.

Il est toujours pris de légers tremblements. On dirait un petit chien trempé par la pluie. Il est très vieux, peut-être est-ce pour cette raison.

« Pourquoi vous a-t-on donné ce surnom ? »

Il a secoué légèrement la tête. À moins qu'il n'ait simplement tremblé.

« Je me le demande aussi... Peut-être mon entourage voulait-il me signifier que ma vie n'était qu'un grand vide ? On aura beau avancer, ce ne sont que pages blanches, comme dans un livre ne portant que les numéros des pages.

— Vraiment ? » lui ai-je demandé.

Il a scruté le vide de ces yeux embués, troubles, typiques des vieilles personnes.

« Ma vie, je ne l'ai vécue que pour ma petite sœur. »

Pooh, le chien hirsute installé à ses pieds, a bâillé.

(Ce chien devait lui aussi avoir un « vrai » nom, mais Yûji l'avait arbitrairement rebaptisé Pooh.)

« Ma benjamine et moi avions treize ans de différence. J'avais également un frère cadet, mais après les morts successives de nos parents, celui-ci avait quitté le foyer pour prendre son indépendance. Il ne restait plus que ma sœur et moi à la maison.

Depuis sa plus tendre enfance, ma sœur avait toujours été de faible constitution, aussi le docteur avait-il à l'époque diagnostiqué qu'elle ne verrait pas son quinzième anniversaire. »

« C'est quoi, diagnostiquer ? » a demandé Yûji, qui écoutait à mes côtés. Comme je ne parvenais pas à trouver une bonne explication, je lui ai répondu :

« C'est ce que tu penses.

— C'est donc bien ça », a dit Yûji avec un sourire.

Nul doute qu'il était en train d'imaginer quelque chose d'entièrement différent.

« Lorsque mon frère est parti, ma sœur avait quatorze ans, et moi vingt-sept. J'avais résolu que nous resterions ensemble tous les deux, que je veillerais sur elle jusqu'à son dernier souffle. J'étais dans mes belles années, je m'étais pris d'affection pour une jeune fille. Mais je pensais à ma sœur avant tout, mes intérêts venaient en second ; ainsi ai-je admonesté mon cœur hésitant. À vrai dire, le traitement de ma sœur coûtait très cher. Aussi, même si mes sentiments pour cette personne avaient évolué, nous n'aurions sans doute jamais pu fonder un foyer.

Ainsi, les jours et les mois passaient à une vitesse surprenante.

C'est allé vraiment vite. Je me suis dit que je devais avoir quelque chose de spécial. Au point que je commençais à suspecter qu'un être effroyablement intelligent, quelque part, pillait ma réserve de temps.

Quoi qu'il en soit, tout fut fini en un instant.

Assurément, il ne reste plus rien à écrire dans mon livre. Sur la première page, on relaterait la journée d'un homme ennuyeux sur lequel il n'y a rien à dire, avant d'ajouter "Idem" à chaque nouvelle page. C'est tout.

Vous y croyez, vous ? C'est ainsi que s'est poursuivie mon existence, ces trente dernières années.

Ma sœur est morte à quarante-quatre ans. J'étais alors à trois ans de mon soixantième anniversaire.

Pourtant, je puis vous dire une chose : cette vie qui est la mienne n'a absolument rien d'un "vide". Même l'existence d'un homme banal et sans histoire est remplie de substance. Elle n'est pas vide.

Car, aussi modestes qu'elles aient pu être, j'ai connu des joies, des émotions. Le travail terminé, je rentrais à la maison et racontais à ma sœur, qui attendait mon retour, les événements de la journée et, comment dire… c'était un vrai plaisir.

Voilà ma vie.

Qui sait, si j'avais eu une vie différente, sans doute serait-ce une autre personne assise ici. Car on ne peut choisir sa vie. »

Alors, aujourd'hui encore, le professeur Nombre mène sa propre vie.

En compagnie de Pooh, son vieux chien hirsute.

Yûji grattait Pooh sous le menton, et comme toujours le chien émettait un son étrange. Ou, plutôt qu'un son, une faible vibration de l'air. Avec, cependant, des modulations.

S'il fallait la transcrire, cela donnerait ceci : « ~ ? »

Nombre me l'avait expliqué tantôt : le maître précédent de Pooh lui avait fait subir une ablation des cordes vocales.

Lorsque les autres chiens du parc le saluaient d'un « Ouaf ! », Pooh ne pouvait leur répondre autrement que par son « ~ ? ». Cela ne semblait pourtant pas gêner le principal intéressé.

« Curry au menu pour ce soir ? m'a demandé Nombre en regardant mon sac de provisions.

— En effet. Et vous ?

— Pour moi, ce sera ceci. »

Il m'a montré un sac en plastique contenant une barquette d'éperlans frits.

« Les invendus sont à moitié prix... Quelle aubaine. »

Il a fourré le nez dans son sac, reniflé, et son visage, les yeux clos, a pris une expression heureuse.

« Ça aussi, c'est un bonheur modeste, non ? »

Pour une raison inconnue, son air heureux m'a rendu triste, cependant.

Je ne sais pas pourquoi. En tout cas cela m'affligeait.

Peut-être parce que le bonheur de Nombre semblait si frugal ? Parce qu'une personne si proche de la fin de sa vie devrait avoir les mains plus pleines ?

Peut-être ?

Je me suis assis avec Nombre sur le banc et nous avons discuté de sujets divers tout en regardant Yûji jouer avec Pooh. Je lui ai alors révélé le projet qui mijotait dans ma tête ces derniers temps.

« À vrai dire, je songe à écrire un roman. »

Nombre a changé de position sur son siège afin de s'écarter un peu avant de plisser les yeux, essayant d'embrasser l'intégralité de ma silhouette d'un seul regard. Puis il a levé les deux mains en silence.

« Merveilleux ! C'est absolument merveilleux.

— Vous trouvez ?

— Mais oui. Les romans sont la nourriture du cœur. Ce sont les lampes qui illuminent les ténèbres, la joie qui surpasse l'amour.

— Ce n'est rien d'aussi exceptionnel. Disons plutôt que j'envisage d'écrire notre histoire, à Mio et moi, afin de permettre à Yûji de la lire un jour.

— Hmm. Cela me semble une excellente idée. C'était une femme admirable.

— En effet. »

Yûji tenait Pooh par le cou et faisait mine de lui mâcher l'oreille. Le chien grimaçait d'un air sérieux en laissant échapper des « ~ ? ~ ? ».

« C'est peut-être dû à la maladie, mais ma mémoire s'est terriblement affaiblie, ai-je poursuivi en guise d'explication. Je veux écrire le peu qu'il me reste avant d'avoir tout oublié. D'elle et de moi. »

Nombre a discrètement acquiescé.

« C'est bien triste, d'oublier. Moi aussi, j'ai déjà oublié tellement de choses, hélas. Les souvenirs nous permettent de revivre l'instant. Dans notre tête », a dit Nombre en désignant son crâne.

Sa phalange tremblante semblait vouloir tracer des mots sur sa tempe.

« Perdre ces souvenirs revient à perdre la capacité à revivre ces jours passés. Comme si la vie nous glissait entre les doigts. »

Il a acquiescé plusieurs fois à ses propres paroles avant de poursuivre :

« C'est pourquoi je pense que c'est une bonne idée de les consigner. Votre livre aurait beaucoup plus de substance que le mien (ici, Nombre a fait un clin d'œil plein d'à-propos). Après tout, ce que l'on considère comme le meilleur de la littérature du XXᵉ siècle est né de la transmission des souvenirs d'enfance. »

Nombre s'est levé lentement de son siège. Le mouvement semblait terriblement douloureux, comme si la force de gravité avait redoublé juste sous ses pieds.

« Bon, il est temps de rentrer. Un bonheur modeste m'attend. »

Il s'est éloigné lentement, à petits pas. Après s'en être aperçu, Pooh a couru à ses côtés pour le suivre.

« Au revoir, professeur. »

Le dos tourné, il m'a fait signe de la main droite, puis s'en est allé.

« Au revoir, Pooh », a lancé Yûji.

Pooh s'est arrêté pour se retourner et lui adresser un « ~ ? » avant de rattraper son maître.

Avant d'aller dormir, j'ai parlé à Yûji de la planète Archive. J'ai accumulé les petits détails, lui donnant ainsi une réalité, si bien que chaque interrogation de Yûji ajoutait du poids à son existence.

« Dis, cette planète, elle a quelle forme ? »

Par le biais de cette question, elle s'est vu attribuer une silhouette. Au dos d'un prospectus, j'ai tracé un dessin au feutre.

Comme ceci :

« Toute la surface de la planète est occupée par des bâtiments pareils à des bibliothèques.

— Il n'y a pas de mer ni de montagne ?

— Non. Les montagnes ont été rasées, et leur terre utilisée pour combler les rivières et les mers. Une fois débarrassée de toutes ses aspérités, on y a bâti des immeubles.

— Pourquoi ?

— Parce qu'il y a énormément d'habitants sur cette planète. Il n'y a pas d'espace superflu.

— Ah bon ?

— Mais oui, réfléchis un peu. Il y a plein de personnes qui habitent dans mon cœur. Elles ont quitté la Terre, mais elles poursuivent leur existence sur Archive.

— Oui, ça tu me l'as déjà dit.

— Du coup, si on additionne toutes les personnes qui habitent le cœur des gens, à ton avis, ça en fait combien à peu près ?

— Hmm... Je sais pas. » (Il réfléchit un peu.)

« Mettons que chaque personne en garde dix dans son cœur, cela ferait plus de soixante milliards d'habitants sur Archive. » (Un peu moins si l'on supprime les doublons, mais je doute que Yûji puisse comprendre, même si je le lui expliquais.)

« Ça fait combien, soixante milliards ?

— Voyons voir... Dans ton école, par exemple, il y a à peu près mille élèves de la première à la sixième année. Tu les vois tous rassemblés à la sonnerie du matin, non ?

— C'est vrai.

— Dans ce cas, si tu prends ton école... attends un instant (je compte les zéros sur mes doigts), eh bien il faut que tu multiplies par soixante millions.

— Ça fait combien, soixante millions ? »

(Question logique.)

« Voyons... Tu sais, sur la télé, la bouteille en plastique pleine de pièces de un yen ?

— Oui. Ça fait longtemps que je les collectionne.

« — En effet. Il doit y avoir à peu près un millier de ces pièces de un yen. Donc, soixante millions, ça équivaudrait à soixante mille bouteilles remplies de pièces.

— Mais alors, ça fait combien, soixante mille ? »

(Bonne question.)

« Oui… soixante mille, voyons voir… Ah ! On va souvent à la bibliothèque, tous les deux, n'est-ce pas ?

— C'est vrai.

— J'ai entendu dire qu'il y avait en tout soixante mille livres rangés là-bas.

— Tous les livres qui sont là-bas ?

— C'est ça.

— Alors ça fait ça, soixante mille… »

Yûji est resté étendu un long moment sur le futon à côté du mien, perdu dans ses pensées. Après un silence si long que j'avais fini par croire qu'il s'était peut-être endormi, il m'a demandé d'une petite voix :

« Tak-kun ? (C'est ainsi qu'il m'appelle.)

— Qu'y a-t-il ?

— Je peux te poser encore une question ?

— Bien sûr.

— Tu sais… a-t-il hésité. C'est quoi, la toute première chose que je t'aie demandée ?

— Pardon ?

— Hmm.

— Moi aussi, j'ai oublié.

— Ah bon ?

— Allez, on dort ?

— D'accord. »

Un autre soir, lorsque Yûji m'a demandé « Mais, ce "quelqu'un", pourquoi est-ce qu'il a créé cette planète ? », Archive a trouvé une nouvelle raison d'être.

« Je t'ai dit que les bâtiments de cette planète ressemblaient à une bibliothèque, non ?

— Hmm.

— En fait, la planète entière est une bibliothèque.

— Vraiment ?

— Oui, vraiment. Ce "quelqu'un" qui a créé Archive aime beaucoup ce genre de choses. C'est pourquoi les habitants de cette planète écrivent des livres pour lui. Comme je te l'ai déjà dit, ils sont tous occupés à réfléchir. Aristote, par exemple, ou Newton, réfléchissent à des questions compliquées, depuis longtemps.

— Ah bon ?

— Mais oui. Je t'ai aussi dit que Newton, Platon et compagnie avaient rejoint Archive et qu'ils continuaient à réfléchir à des problèmes complexes qu'ils n'avaient pas pu résoudre sur Terre. Des centaines d'années durant. Tant que les habitants de la Terre se souviennent d'eux, ils peuvent continuer de réfléchir.

— Hmm.

— Et quand ils trouvent une réponse, ils écrivent un livre. Celui-ci est ensuite rangé dans la bibliothèque d'Archive.

— Et le livre de maman ?

— Maman aussi écrit un livre, bien sûr. Un livre sur toi et moi.

— Et le "quelqu'un", il va lire son livre ?

— Bien sûr. Ce "quelqu'un" aime particulièrement ce livre. Parce qu'on y apprend tout sur l'amour humain.

— Vraiment ?

— Vraiment.

— Et Jim Bouton, il écrit quoi ?

— Un livre sur les trains, probablement...

— Et le Petit Chaperon Rouge, alors ?

— Un livre sur les loups, j'imagine.

— Sérieux ?

— Sérieux. Elle écrit un livre qui explique comment reconnaître les grands-mères des loups. Un guide pratique, en quelque sorte.

— Vraiment ?

— Sans doute. »

Le week-end, nous allons nous promener dans une forêt juste à l'extérieur de la ville.

Les tanukis, les fouines mais aussi les petits rongeurs y vivent heureux dans un berceau de verdure étoffé de feuilles de styrax du Japon et de chênes konara et kunugi. Les petits étangs qui bordent la forêt sont pleins de bouvières, de carpes et de pseudorasboras. Ils contemplent leur royaume avec satisfaction, ondulant des nageoires avec grâce.

La forêt est traversée d'une multitude de chemins sinueux qui s'entrecroisent comme dans un labyrinthe. À l'orée d'un sentier se dresse une brasserie de saké isolée. Faite de zinc et de bois de récupération, elle s'est déjà fondue dans la forêt. La porte est recouverte d'un enchevêtrement de vignes et le toit a disparu sous le feuillage des grosses branches des chênes. Elle émet en permanence une sorte de grognement sourd – *boum, boum, pschiiit...*

Je courais vêtu d'un short en coton délavé et d'un t-shirt portant le sigle KSC (initiales du Kennedy Space Center, où un ami l'avait acheté comme cadeau souvenir). Je n'ai plus la même endurance qu'autrefois, mais je peux garder le rythme pendant une heure environ, à condition de me maintenir à une allure tranquille de six minutes pour un kilomètre. Yûji suivait derrière, sur son vélo d'enfant. Comme on venait tout juste de lui enlever les petites roues, il n'était pas très à l'aise et manquait de confiance.

Le sentier était recouvert de feuilles mortes, et les racines des arbres pointaient à travers le sol jonché de branches cassées. Je peux enjamber ces obstacles d'un pas léger, mais Yûji, lui, doit systématiquement descendre de son vélo pour les contourner. Je l'ai entendu se plaindre dans mon dos :

« Attends-moi, Tak-kun ! Ne me laisse pas tout seul ! »

J'ai ralenti la cadence pour l'attendre.

« Tu sais bien que je ne te laisserais pas tout seul.

— Oui, mais...

— Allez, viens. »

Nous avons repris notre avancée au cœur de la forêt en accélérant le pas.

Après avoir poursuivi notre route une quarantaine de minutes comme si nous tracions chaque sentier d'un seul trait de crayon, nous sommes ressortis de l'autre côté de la forêt, dans les ruines d'une sorte d'usine, au sol recouvert de béton nu. On peut y voir les vestiges du socle qui supportait les gigantesques machines. Sur une vaste surface calcaire s'élèvent les restes isolés d'un bâtiment. Celui-ci est presque totalement démoli ; une porte, néanmoins, subsiste.

Ainsi qu'une boîte aux lettres (de travers).

Comme ceci :

S'agissait-il de l'usine n° 5 ou de l'entrepôt n° 5, je n'en ai aucune idée, toujours est-il qu'il ne reste absolument rien de l'autre côté du mur.

Yûji y ramasse toujours quelque écrou, boulon, rivet ou ressort à boudin. (Il lui arrive de temps à autre de trouver aussi des pignons. Les bons jours.)

Je l'observais, la hanche appuyée contre le socle.

Mio venait aussi, avant.

Yûji s'adonne à cette activité depuis l'âge de deux ans environ. Pourtant, la réserve d'écrous, boulons, rivets et ressorts ne semble pas diminuer. Un mystère total – les petites pièces sont toujours là.

Yûji rentre à la maison les poches pleines de ces éléments, qu'il enterre au fond d'un trou creusé dans un terrain vague derrière notre immeuble. Il doit déjà y en avoir une quantité impressionnante. Enfouis jusqu'à 30 cm sous la surface, j'en suis sûr.

Je serais curieux de voir la tête que fera celui qui les déterrera un jour.

« Je peux te poser une question ? ai-je demandé à Yûji.

— Quoi ?

— Pourquoi est-ce que tu fais ça ? »

Il m'a dévisagé comme s'il avait quelqu'un de profondément stupide en face de lui.

« C'est évident, non ? m'a-t-il répondu. Parce que c'est amusant. »

Hmm.

C'était une semaine environ avant que Mio ne parte pour Archive (cette formulation me réconforte quelque peu).

Elle m'avait dit à peu près ceci :

« Je ne serai bientôt plus de ce monde, mais lorsque la saison des pluies sera de retour, je reviendrai sans faute voir comment vous vous débrouillez, tous les deux. »

(Il tombait une pluie froide en ce mois de juin.)

« Alors je t'en prie, fais de ton mieux pour tenir jusque-là. Yûji sera déjà en primaire à cette période ; accompagne-le comme il faut à l'école. Assure-toi qu'il mange bien le matin, vérifie qu'il a bien toutes ses affaires et qu'il n'oublie rien. »

« Tu t'en sens capable ?

— Bien sûr, lui avais-je répondu.

— Vraiment ? Si à mon retour tu n'as pas bien fait les choses, je ne te le pardonnerai pas. »

(Elle avait eu un petit sourire à ces mots. Un sourire tellement minuscule, qu'on aurait aisément pu le manquer.)

« Je me fais du souci pour toi, avait poursuivi Mio.

— Ça va aller, l'avais-je rassurée. Je serai fort. Je deviendrai un bon père. Ne t'inquiète pas.

— Vraiment ?
— Vraiment.
— C'est une promesse.
— Hmm. »

Suis-je devenu fort ?
Suis-je devenu un bon père ?
Bientôt, ce sera la saison des pluies.
Un lundi de juin.
Aujourd'hui encore, nous volons vers un nouveau jour.

3

« Yûji, le petit-déjeuner est prêt.

— Hein ?

— Dépêche-toi de manger !

— Hein ? »

J'ai fait passer un t-shirt par-dessus la tête de Yûji qui se frottait les yeux, toujours en sous-vêtements.

« Ton petit-déjeuner. Mange.

— Hmm.

— Tu as vérifié ton cartable ? Tu n'as rien oublié ?

— Hmm. C'est bon. »

Pourtant, chaque jour, sans faute, il oublie quelque chose.

« Tak-kun ?

— Qu'y a-t-il ?

— Des œufs au plat et des saucisses ?

— Parfaitement. C'est nourrissant, et délicieux.

— Mais c'est tous les jours la même chose...

— Qu'y a-t-il ?

— Rien.

— Il faut se dépêcher. Il ne reste plus que huit minutes.

— Ah bon ?

— Eh oui.

— Dis, Tak-kun ?

— Hmm ?

— J'ai une tache de ketchup sur mon t-shirt.

— Ne t'en fais pas. Tu n'as qu'à penser que c'est un dessin.

— Vraiment ?

— Je n'ai pas fait la lessive dernièrement, alors je n'ai rien d'autre à te proposer. Il y en a un autre qui est taché de sauce, et sur le troisième il y a du curry.

— Ouah…

— On n'aurait pas ces problèmes si tu mangeais un peu plus proprement.

— Bon, d'accord. Je garde ce t-shirt. »

En revenant de ma tournée, j'ai été surpris par la pluie. La première averse du mois. À mon retour au bureau, Nagase-san m'a apporté une serviette et m'a séché les épaules et le dos.

« Votre costume…

— Oui ? »

Les paroles qu'elle s'apprêtait à prononcer semblaient la rendre terriblement perplexe. Elle a tiré plusieurs fois sur le col et les manches de son corsage.

« Qu'y a-t-il ?

— Eh bien… a-t-elle hésité. Cela va peut-être laisser des taches.

— Ah oui, c'est bien possible. »

Cela ne semblait pas la rassurer.

Je lui ai souri d'un air interrogateur, et elle a remué la tête comme pour dire que ce n'était rien.

« Au revoir, lui ai-je dit en lui tendant des documents officiels.

— Merci de votre travail », a-t-elle murmuré d'une voix imperceptible en serrant les papiers contre sa poitrine.

Le chef somnolait paisiblement derrière son bureau.

Dans la soirée, armés d'un parapluie, nous sommes sortis faire les courses, Yûji et moi.

« Qu'est-ce que tu veux manger à dîner ?

— Du curry.

— C'est une manie...

— C'est quoi, une manie ?

— Ça démontre un manque de créativité.

— Qu'est-ce que tu veux dire ?

— Que cela semble être l'unique article au menu de notre auguste demeure.

— Vraiment ?

— Vraiment.

— Alors, tu veux faire quoi ?

— Et si on se mettait au défi d'agrémenter notre menu d'un plat jusqu'à présent inédit ?

— Wouah, ça serait bien !

— Un vent nouveau...

— Comment ça ?

— C'est ce qu'a dit un président américain, il y a longtemps. C'est son fils qui est président maintenant.

— Vraiment ?

— Vraiment. »

À partir de là, nous avons échangé nos points de vue, et nous sommes arrêtés sur un plat qui n'avait pas une seule fois encore figuré au menu de notre auguste demeure : des choux farcis.

Nous nous sommes partagé la tâche pour acheter les ingrédients au centre commercial, et l'humeur était à la fête. « Un vent nouveau, un vent nouveau », répétait sans cesse Yûji.

Le professeur Nombre était comme à son habitude au parc n° 17. Son parapluie noir à la main, il contemplait les hortensias dont les floraisons bordaient l'étang. Pooh, qui déteste la pluie, s'était carapaté sous le banc.

« Professeur. »

À ma voix, il s'est retourné, un sourire aux lèvres.

« Des hortensias ?

— Ne sont-ils pas magnifiques ? C'est parce qu'on les regarde que les fleurs s'épanouissent avec grâce. C'est leur volonté, franche et sans détour. »

Nombre a développé sa pensée.

« À l'origine, l'hortensia est une plante du littoral. C'est sans doute pour cela qu'il aime autant l'eau. »

Peut-être Nombre poursuit-il, aujourd'hui encore, le visage de la jeune femme à laquelle il n'a pu se lier. Ne serait-ce pareil à de l'amour ? Une personne qu'on n'aurait pas vue depuis des décennies, ou qui aurait déjà quitté cette planète, peut encore vous manquer.

Aussi mystérieux que cela puisse paraître, c'est la vérité.

« Et votre roman, ça avance ? m'a demandé Nombre.

— Pas encore. Lorsque je me décide à écrire, cela devient difficile. Même s'il y a tellement de choses que je voudrais coucher sur le papier.

« — Vous pourriez simplement attendre que le moment vienne.

— Le moment ?

— Oui, le moment où les mots qui emplissent votre cœur se déverseront d'eux-mêmes.

— Vous croyez ?

— Mais oui. Il finira bien par arriver, ce moment. »

Yûji était accroupi et parlait à Pooh sous son banc. Pooh l'écoutait en silence. Si l'on tendait l'oreille avec attention, Yûji lui disait :

« Dis, tu es au courant pour le vent nouveau ? »

De retour à la maison, j'ai consulté la recette et préparé les choux farcis avec l'aide de Yûji. « Un plat positivement inratable », pouvait-on lire sur la fiche.

Et pourtant, nous l'avons raté.

« Dis...

— Qu'y a-t-il ?

— Ça a ce goût-là, le chou farci ?

— Non, je ne pense pas.

— Mais...

— Hmm ?

— Enfin, c'est super mauvais.

— Je suis bien d'accord. »

Vinrent cinq secondes de silence.

« Tu sais, je...

— Oui ?

— J'ai remarqué quelque chose.

— Quoi donc ?

— On dirait qu'on s'est trompés en faisant les courses.

— À quel sujet ?

— Je crois qu'en fait j'ai peut-être acheté une laitue au lieu d'un chou...

— Ah bon. »

Encore cinq secondes de silence.

« Désolé.

— Non, ce n'est pas grave. Ne t'en fais pas. J'aurais dû m'en rendre compte en cuisinant.

— Tu crois ?

— Mais oui. »

J'ai lu un jour un article dans le journal, qui déclarait qu'un enfant britannique sur trois ne savait pas distinguer un chou d'une laitue. Il semblerait que le petit prince anglais de notre auguste demeure en fasse partie.

Moi aussi, sans doute.

4

Je savais que le cinéma de la ville voisine projetait *Momo*. C'était une salle indépendante spécialisée dans les reprises, mais ce mois-ci était consacré à une rétrospective Michael Ende.

Cette semaine c'était *Momo*, la suivante était programmé *L'histoire sans fin*.

Yûji a dit qu'il aimerait voir *Momo*.

« Mais tu sais bien que je ne vais jamais au cinéma...
— Je sais.
— Donc, si tu veux voir le film, tu devras y aller tout seul. Ça ira ?
— Ça ira.
— Dans ce cas, veux-tu y aller dimanche ?
— Génial ! Merci, Tak-kun.
— De rien. »

Le dimanche, nous sommes sortis de la maison une heure avant le début de la séance. Nous avons pris la route qui traverse la zone rurale, moi sur la vieille bicyclette que je prends pour aller travailler, Yûji sur son vélo d'enfant. La ville voisine n'étant qu'à une dizaine de kilomètres, nous avions largement assez de temps.

Je ne peux prendre ni le bus ni le train.

Lorsque je monte, dès le moment où les portes se ferment et où je sens le véhicule accélérer, mon interrupteur interne s'enclenche, l'ampoule s'illumine et ma jauge s'affole.

Peu importe le véhicule, j'imagine que ce serait la même chose avec le petit train aux singes d'un parc d'attractions ou sur un bateau cygne dans un coin touristique. Comme je le disais, les bus et les trains ne me réussissent pas ; quant aux monorails et aux téléphériques, parce qu'ils sont en hauteur, c'est encore pire. Ce ne sont que conjectures, mais je pense que prendre l'avion serait impossible, et qu'embarquer à bord d'un sous-marin pourrait même s'avérer fatal.

La seule idée de me retrouver coincé dans une petite cellule volante en mouvement propulsée par des explosifs disposés sous mes fesses me terrifie.

C'est pourquoi Laïka, la chienne qui a fait le tour de la Terre à bord du Spoutnik, est mon idole. J'aimerais avoir ne serait-ce qu'une fraction de son courage.

Quoi qu'il en soit, tout ceci est extrêmement malcommode. De toutes les limitations dont je suis accablé, celle-ci est la plus insurmontable. À cause d'elle, je ne pourrai jamais aller sur la Lune, ni plonger dans la fosse des Mariannes.

C'est bien dommage.

Nous sommes arrivés au cinéma cinq minutes avant le début de la projection. Le trajet avait pris plus de temps que prévu à cause du grand vent. Yûji avait eu beau baisser la tête et pédaler avec force, nous sommes arrivés beaucoup plus tard qu'escompté.

Je lui ai tendu les sandwiches que nous avions emportés avec nous, ainsi qu'un soda acheté au distributeur. Nous avions l'intention de manger ensemble avant que le film ne commence, mais il n'y avait plus de temps pour cela.

J'ai acheté un billet enfant au guichet.

« Tiens, amuse-toi bien. »

Yûji semblait un peu déstabilisé par le soudain changement de plans. J'ai sorti quelques pièces de mon porte-monnaie et les ai glissées dans la poche de son pantalon.

« Si jamais tu as encore faim après tes sandwiches, tu peux t'acheter du pop-corn. Ou même un beignet, ou ce qui te fera plaisir.

— Hmm. »

Mais Yûji restait planté là, la cantine contenant les sandwiches et la canette de soda serrées contre sa poitrine, sans bouger.

La sonnerie annonçant le début de la séance a retenti. Yûji s'est retourné et a tendu le cou pour regarder la porte qui menait à la salle. Puis il a refait volte-face, scrutant mon visage.

« Vas-y. Ça va commencer. »

J'ai mis la main sur son épaule pour l'encourager. J'ai tendu le ticket à l'ouvreuse et poussé Yûji dans le dos. Il m'a regardé à deux reprises avant de disparaître dans la salle.

Si seulement j'avais pu l'accompagner.

Mais je suis incapable d'entrer dans une salle de cinéma.

Je ne peux pas aller au concert non plus, ni assister au mariage de qui que ce soit. Et ce pour une raison un peu différente de celle pour laquelle je ne peux ni prendre l'ascenseur ni gravir les étages d'un grand immeuble.

Moi-même, je trouve cela complètement irrationnel. Je n'en suis pas moins violemment saisi par une impulsion unique.

Lorsque je me trouve dans un endroit plein de monde où les circonstances imposent que chacun garde le silence, je ressens le besoin gênant de me mettre à parler très fort. Je pense que tout le monde doit ressentir ce besoin à un moment ou un autre, mais tout est question de degré.

« Oh, quelle belle chemise ! », ou « Mince alors, il s'en est fallu de peu ! », ce genre de paroles sans intérêt. Bref, les mots qui me passent par la tête et cherchent à en sortir dans ces moments-là, pour me causer des ennuis. Ensuite, c'est toujours le même schéma. La gêne pousse l'interrupteur, l'ampoule s'illumine, la jauge s'affole.

Cela ne m'arrive plus aussi souvent ces temps-ci, mais lorsque j'étais à l'université, c'était très ennuyeux.

Il m'arrivait de passer les cours en sueur, tentant de refouler les mots qui me traversaient alors l'esprit : « Comme c'est cruel ! », ou « Je ne me souviens pas l'avoir entendu ! »

En définitive, c'est la principale raison pour laquelle j'ai dû interrompre mes études.

Après avoir regardé Yûji s'éloigner, j'ai marché aux alentours du cinéma à la recherche d'un endroit où passer le temps. Le coin regorgeait de boutiques, de magasins d'accessoires et de fast-foods, pressés les uns contre les autres. Je craignais que toute cette agitation ne me cause du vertige, mais j'étais obligé d'attendre là jusqu'à ce que Yûji ressorte. Comme de surcroît je lui avais donné tous les sandwiches, je commençais à avoir faim.

J'ai continué à marcher, avant de me décider à entrer dans un Starbucks, pensant que cela devrait aller. Je tenais cette conviction du fait que tous ces *coffee shops* sont non-fumeurs. Mes capteurs sont tellement sensibles que la fumée de cigarette m'est aussi nocive que du gaz poivre.

Si une foule de mes semblables devait un jour manifester (défilant armés de pancartes proclamant « Oh, quelle belle chemise ! » ou « Mince alors, il s'en est fallu de peu ! »), la police n'aurait qu'à nous encercler, cigarette au bec, pour nous maîtriser. Nous nous disperserions alors assurément en pleurant à chaudes larmes (pour courir en cercles aux cris de « Comme c'est cruel ! »).

Ma condition physique m'interdisant de boire du café (l'interrupteur s'enclencherait d'un clic), peu d'articles au menu de ce type d'établissement peuvent entrer dans ma consommation. J'ai donc commandé une bouteille d'eau minérale et un sandwich BLT.

Portant ma boisson et mon sandwich sur un plateau, je suis allé m'asseoir au fond du café. La salle était remplie aux huit dixièmes de clients. Nombre d'entre eux – des jeunes femmes en tailleur-pantalon équipées d'ordinateurs portables, des garçons aux allures d'étudiants, leurs manuels étalés devant eux – buvaient leur café tout en faisant autre chose. Je les ai imités, ouvrant le cahier que j'avais emporté avec moi. J'ai tapoté l'extrémité de mon critérium contre ma poitrine pour en faire sortir la mine. Puis, mordant une bouchée de mon sandwich, j'ai réfléchi un peu.

Après avoir bu une rasade d'eau, j'ai inscrit le chiffre 1 sur la première ligne de la première page. J'avais l'intention de chercher un titre plus tard, aussi l'ai-je laissé en blanc.

Les premiers mots sont venus tout de suite.

« Voici ce que je me suis dit quand Mio est morte. »

À partir de là, j'ai eu l'impression de recopier des phrases déjà préparées, et dont les mots coulaient tous seuls.

Tiens donc, me disais-je. C'est exactement ce que m'avait dit le professeur Nombre.

« Les mots qui emplissent votre cœur se déverseront d'eux-mêmes. »

J'ai écrit au sujet de la planète Archive, de Yûji, de mon travail à l'étude, du professeur Nombre et de Pooh, mais aussi du jogging du week-end et de l'usine en ruines. Mon intention était de commencer avec notre vie actuelle, puis de passer graduellement à mes souvenirs de Mio.

Jamais, jusqu'à présent, je n'avais écrit autre chose que des notes de journal ; pourtant les phrases coulaient de source. Je me suis rappelé mon romancier préféré, John Irving, ainsi que l'auteur de science-fiction qui lui avait inculqué ses tournures de phrases, Kurt Vonnegut, et les ai gardés comme référence tandis que j'écrivais.

Le Yûji et le Tak-kun décrits dans le carnet semblaient bien plus heureux que le vrai Yûji et le vrai Tak-kun.

Je n'étais pas obligé de consigner les choses vraiment difficiles. Ainsi, ils pouvaient connaître la félicité. Et puis, c'était tellement agréable de les dépeindre de cette façon.

Perdu dans ma rêverie, j'accordais temps, espace et mots à nos alter ego. Ce temps que je leur offrais, ce n'était, en d'autres termes, que le temps que j'avais perdu.

Chose incroyable, lorsque j'ai repris mes esprits, le soleil avait déjà commencé à se coucher.

Je n'en revenais pas.

« Oh, non ! »

Me levant d'un bond, j'ai renversé la bouteille d'eau sur la table. Celle-ci était déjà bien vide. Les autres clients m'ont regardé d'un air soupçonneux.

Après avoir fourré en hâte cahier, crayon et gomme dans mon sac, j'ai débarrassé mon plateau et quitté le café en trombe. Tout en courant, j'ai consulté ma montre et me suis aperçu que la séance était terminée depuis plus d'une heure.

J'avais beau savoir que j'étais « prompt à omettre des choses à retenir absolument », certains oublis étaient impardonnables.

Pourquoi suis-je donc ainsi ?

Comment en suis-je donc arrivé là ?

Je me suis hâté de rejoindre Yûji, bousculant en route plusieurs passants et leur adressant à chacun mes excuses.

Il n'y avait plus personne aux alentours du cinéma. On était au milieu de la séance suivante, moment où les théâtres se trouvent enveloppés d'un mystérieux silence.

J'ai immédiatement retrouvé Yûji.

Il était assis tout seul, au milieu du vaste escalier principal.

Sur ses genoux reposait la cantine, qu'il serrait, le regard perdu dans le vide. Sa petite bouche remuait, comme s'il chantait quelque chose, mais sa voix était inaudible.

« Yûji. »

Il n'a pas remarqué que je l'appelais. Ce n'est que lorsque je me suis approché de lui qu'il m'a vu.

Il avait les yeux rouges, le nez rouge, les joues rouges aussi. Il a reniflé plusieurs fois.

« Je suis désolé, lui ai-je dit.

— Hmm », a-t-il répondu.

Je suis tombé à genoux pour essuyer de mes doigts ses cils encore pleins de larmes. J'ai sorti un Kleenex de ma poche et lui ai mouché le nez.

« Un seul côté à la fois. Si tu y vas trop fort, tu vas te faire mal aux oreilles.

— Hmm. »

Puis je me suis assis à ses côtés.

« Je suis vraiment désolé.

— Hmm. »

J'ai attrapé sa petite main. Comme toujours, elle était tiède et moite.

« Je me suis fait du souci, a-t-il dit finalement d'une voix nasillarde. J'ai cru qu'il était arrivé quelque chose, que tu étais coincé quelque part sans bouger.

— Vraiment ?

— Hmm. C'est pour ça, je t'ai cherché partout. Dans pleins d'endroits. Mais je t'ai pas trouvé.

— Désolé, ai-je répété une nouvelle fois.

— Mais je suis soulagé, a répondu Yûji. Tout va bien, n'est-ce pas ?

— Tout va bien. Mais je t'ai fait quelque chose d'horrible. »

Yûji a remué la tête.

« Ça va. Je tiens le coup.

— Oui. Tu es formidable.

— Moi, formidable ?

— Extraordinaire. Bien meilleur que moi.

— C'est pas vrai, a protesté Yûji. J'ai pleuré. J'ai beaucoup pleuré. »

À ces mots, ses larmes se sont remises à couler. J'ai passé la main dans ses cheveux ambrés trempés de sueur et l'ai serré contre mon cœur.

« Excuse-moi de t'avoir fait pleurer. »

Retenant ses sanglots, il a continué de pleurer en silence. Puis, le visage enfoui dans ma poitrine, il a murmuré d'une voix étouffée :

« S'il te plaît. Ne me laisse pas tout seul. »

« Ne m'oublie pas. »

Je viens sans doute de créer à Yûji un mauvais souvenir, et voilà ma récompense, me suis-je dit. Et pourtant, j'allais encore lui en créer d'autres.

Sur le chemin du retour, aux environs de la mi-parcours, mon état a commencé à se détériorer.

Yûji, qui avait quant à lui retrouvé sa vitalité, était en train de me raconter tant bien que mal l'histoire du film qu'il venait de voir. Le vent nous poussait par-derrière, et nous avancions à bonne allure, comme un bateau à la voile gonflée.

Le temps que je m'en aperçoive, la situation était devenue critique. Une mauvaise odeur s'était installée au fond de mes narines et j'avais perdu toute sensation dans les doigts et les orteils. Pour ne rien arranger, j'avais terriblement froid.

J'ai pourtant continué, pendant un moment, de lui donner des réponses courtes. Cependant la substance de son récit ne pénétrait pas jusqu'à mon cerveau.

J'ai pu persévérer encore cinq minutes avant de finalement atteindre ma limite.

« Yûji... l'ai-je interrompu.

— Quoi ?

— Arrête-toi.

— OK. »

Nous avons rangé nos vélos sur un sentier à l'intersection de la route d'asphalte. Je me suis effondré sur place en position assise.

Coupure d'énergie, panne sèche.

Pour les personnes normales, cela serait simplement synonyme d'hypoglycémie, mais à cause de ma condition physique qui prend tout à l'extrême, les symptômes eux-mêmes s'en trouvaient décuplés. Voilà que j'avais également perdu toute sensation dans les bras et les jambes jusqu'aux jointures. Ne pouvant plus tenir ma position assise, je me suis étendu sur le sol. D'habitude, je parais à une telle éventualité en mangeant cinq repas par jour, en petites quantités. Mais aujourd'hui, distrait, j'avais complètement oublié mon repas de 15 heures.

« Tak-kun, tout va bien ?

— Hmm, j'ai un petit problème.

— C'est vrai ?

— Yûji... »

Il s'est accroupi pour rapprocher son visage du mien.

« Quoi ?

— Il te reste encore de l'argent dans ta poche ?

— Oui. J'ai acheté du pop-corn, mais il me reste des sous.

— Dans ce cas, tu veux bien me rendre un service ?

— Hmm.

— J'aimerais que tu prennes ton vélo, tout seul, jusqu'au combini le plus proche, et que tu m'achètes quelque chose à manger.

— À manger ?

— C'est ça. Mes batteries sont à plat. Je dois les changer si je veux me remettre à bouger.

— Vraiment ?

— Oui. Tu peux le faire ?

— Bien sûr.

— À tout de suite, alors.

— Compris ! »

Yûji s'est redressé et a poussé son vélo d'enfant jusqu'à la route d'asphalte. Puis il s'est remis en selle, avant de me jeter un regard en arrière.

« Tak-kun ?

— Oui. »

Son nez était redevenu rouge.

« Tak-kun, tu vas pas mourir ?

— Tout va bien, je ne vais pas mourir tout de suite.

— Vraiment ?

— Vraiment. »

Yûji semblait peser la véracité de mes paroles, et pendant un moment il s'est contenté de me fixer droit dans les yeux. À grand-peine, j'ai esquissé un sourire.

« Bon, j'y vais alors, a finalement annoncé Yûji.

— Hmm. Je compte sur toi. »

Yûji s'est éloigné à coups de pédale.

« Yûji ! »

À mon cri, il s'est arrêté avec un crissement de freins.

« Qu'est-ce qu'il y a ?

— Je pense que tu le sais, mais il ne s'agit pas de m'acheter des piles, hein.

— Ah bon ? »

(Son « ah bon ? » constitue comme un réflexe conditionné, et pour cette raison, il peut être délicat d'en déterminer le sens. Et pourtant... que faire ?)

« Tu vas m'acheter à manger. Quelque chose de sucré, par exemple.

— Hmm.

— Si tu peux.

— Hmm ?

— Un biscuit glacé, ça serait bien...

— Compris. Tu aimes bien ça, n'est-ce pas, Tak-kun ?

— Oui...

— J'y vais.

— OK. »

Il alors donné un tour de pédale complet et s'est éloigné à une vitesse surprenante. Déconcerté, j'ai voulu le rappeler, mais me suis ravisé en me rappelant ses problèmes d'audition.

« Ne va pas si vite... »

Je me suis rallongé sur le sol.

« C'est dangereux... »

La fraîcheur du sol que je ressentais dans mon dos, l'odeur de l'herbe constituaient mon unique lien avec le monde réel. À demi inconscient, je continuais de prier pour la sécurité de Yûji.

Une vision de lui, percuté par une voiture, passait sans arrêt dans ma tête, causant chaque fois une douleur aiguë dans ma poitrine.

Ma pulsation cardiaque avait viré au trémolo. Lequel subissait des variations occasionnelles. C'était épuisant.

« Mio », l'ai-je appelée dans mon cœur.

Pas de réponse.

« Mio. »

Je l'ai appelée une nouvelle fois, juste pour voir, mais toujours pas de réponse. Sans savoir pourquoi, j'en étais très affligé.

« Tak-kun ? »

La voix de Yûji m'a ramené à moi.

« Je t'ai acheté un biscuit glacé. »

Il dégouttait de sueur, et ses épaules tremblaient au rythme de son souffle.

« Dieu merci... ai-je murmuré.

— Qu'est-ce qu'il y a ?

— Hmm, rien. À partir de maintenant, je t'interdis d'aller aussi vite à vélo.

— Mais…

— Enfin, ça va pour cette fois. Merci. »

Je me suis redressé à moitié et ai mangé le biscuit glacé qu'il m'avait ramené. Il était très froid, et mon corps a été parcouru de frissons. Je regrettais de ne pas avoir demandé quelque chose de chaud, mais je l'ai mangé sans rien dire.

La glace aurait besoin de temps pour être décomposée et assimilée par mon organisme. Je me suis rallongé, face vers le ciel. Yûji s'est étendu à côté de moi.

Le firmament était déjà recouvert d'un dais indigo. Les étoiles dansaient, pareilles à des lanternes dont les piles vacillent.

« Ça va ? m'a demandé Yûji.

— Hmm, ça ira mieux dans un instant.

— Vraiment ?

— Oui.

— Alors…

— Hmm ?

— On devrait chanter une chanson.

— Comment ça ?

— Une que maman m'a apprise.

— Je n'étais pas au courant.

— Ça…

— Quoi ? Qu'est-ce qu'il y a ?

— Tu veux bien ?

— D'accord, mais…

— Tu peux la chanter pour te redonner du courage, quand tu as peur, ou que tu as mal.

— C'est de maman ?

— Je viens de te le dire.

— Bon, je t'écoute. »

Alors, d'une voix fine et claire, il s'est mis à chanter.

Un éléphant jouait
Pris dans une toile d'araignée
Et il s'amusait tellement
Qu'il a appelé un deuxième éléphant

Deux éléphants jouaient
Pris dans une toile d'araignée
Et ils s'amusaient tellement
Qu'ils ont appelé un troisième éléphant

« Attends une minute.

— Qu'est-ce qu'il y a ?

— Tu vas rajouter encore combien d'éléphants, dans ta chanson ?

— Tant qu'on veut. Jusqu'à ce que tu te sentes mieux. »

Dans ma tête, je visualisais une immense toile d'araignée, sur laquelle jouaient des centaines d'éléphants.

« Tu crois qu'ils s'amusaient vraiment, les éléphants ?

— Oui, pas toi ? C'est pour ça qu'ils appelaient leurs amis, non ? »

Hmpf.

« Chante avec moi. Tu te sentiras mieux.

— D'accord. »

Trois éléphants jouaient
Pris dans une toile d'araignée
Et ils s'amusaient tellement
Qu'ils ont appelé un quatrième éléphant

Nous avons continué à chanter, jusqu'à avoir soixante-cinq éléphants pris dans la toile d'araignée.

Et nous avons fini comme ça :

Soixante-cinq éléphants jouaient
Pris dans une toile d'araignée
Et il se faisait tellement tard
Qu'ils se sont dit « rentrons à la maison »

« Tak-kun, tu ne te sens pas mieux ?

— Hein ?

— Quoi ?

— C'est vrai. Je me suis calmé sans m'en rendre compte.

— Tu vois ?

— Hmm.

— C'est pas génial ?

— Absolument.

— Nous aussi, on est en retard. On rentre ?

— OK. »

Nous avons marché côte à côte dans la nuit en poussant nos vélos. Les grenouilles chantaient à tue-tête d'un air joyeux. Peut-être leur était-il arrivé quelque heureux événement ?

« Maman me manque, a dit Yûji.

— À moi donc... »

Yûji a repris la parole quelques instants plus tard :

« C'est de ma faute si elle est morte ?

— Mais non.

— Vraiment ?

— Vraiment. Qu'est-ce qui te fait croire ça ?

— Rien. »

Cette fois-ci, c'était mon tour de reprendre après quelques secondes :

« Tu n'y es vraiment pour rien.

— Je sais.

— Très bien.

— Hmm. »

Un jour viendra le temps où il apprendra ce qui s'est réellement passé, je le sais. Dans n'importe quel groupe, il se trouve toujours quelqu'un pour parler. Pour l'instant, il est encore dans le vague, mais il commence à saisir des fragments de vérité. Sans doute quelque indiscret lui aura-t-il dit quelque chose. Pourtant, il est encore trop jeune pour connaître la vérité. Je crois que je vais continuer de lui mentir quelque temps encore. Je pense que ce serait bien, dans la mesure du possible, qu'il n'apprenne la vérité qu'au moment où il lira ce roman.

Ceci étant, il ne serait pas tout à fait juste de dire que c'est de la faute de Yûji si Mio est morte. Face à un résultat donné, il est difficile d'en déduire la cause avec certitude.

Une chose est sûre – la bille de roulette s'est arrêtée au 13 noir. Mais où en trouver la raison ? Impossible de l'expliquer d'un seul mot. Et puis, je ne voudrais pas voir notre monde bouleversé par cette roulette.

Ce qui est certain, c'est que Yûji a eu une naissance véritablement difficile. Dès la grossesse, de multiples complications s'étaient déclarées, si bien qu'au moment de l'accouchement, Mio, dont les forces avaient diminué, avait dû recevoir toutes sortes d'injections. On avait envisagé une césarienne, afin de lui permettre de sortir par une ouverture ménagée de la main du chirurgien, mais finalement, après trente heures de travail, il était venu au monde en passant par le chemin traditionnel. C'était un bébé parfaitement sain, qui pesait 3 900 grammes.

Sa mère, en revanche, était terriblement affaiblie. Nombre d'organes dans son corps, les organes responsables du filtrage, de la décomposition et de la neutralisation des éléments, ne fonctionnaient plus correctement.

Elle a quitté notre planète cinq ans plus tard, mais je ne sais pas vraiment quelles sont les relations entre les dysfonctionnements apparus dans son organisme à ce moment-là et les complications survenues durant l'accouchement. Car après tout, elle avait entre-temps retrouvé sa forme et mené une vie d'épouse et de mère parfaitement normale. C'est pourquoi je ne dirais pas que c'est la faute de Yûji si Mio est morte.

Et quand bien même ce serait à cause d'un incident survenu à sa naissance que le destin de Mio avait été fauché cinq ans plus tard, on ne pourrait affirmer que c'est la faute de Yûji.

Il n'a rien fait.

Nous l'avons fait venir dans ce monde suivant nos vœux, Mio et moi. À ce moment-là, il ne respirait pas encore, ses yeux n'étaient pas ouverts. Il était aussi pur que la neige qui n'a pas atteint le sol.

C'est pourquoi Yûji ne doit jamais souffrir à cause de cet événement.

5

Le lendemain, nous nous sommes rendus dans la forêt, comme d'habitude.

Ce jour-là encore, la brasserie de saké émettait ses borborygmes. Le ciel était chargé de lourds nuages gris. Le vent qui soufflait des profondeurs de la forêt portait une odeur d'averse.

« On dirait qu'il va pleuvoir.

— Ah bon ? »

J'ai ralenti l'allure pour m'aligner sur Yûji.

« Je sens une odeur d'averse. On dirait qu'il va pleuvoir. »

Yûji s'est mis à renifler.

« Je suis pas sûr.

— Accélérons un peu. »

Nous avons l'habitude de faire des détours, de parcourir une certaine distance avant d'atteindre l'usine en ruines, mais ce jo.ur-là nous avons pris le chemin le plus direct pour rejoindre notre destination.

Il faisait sombre dans la forêt. Les feuilles de konara et d'egonoki recouvraient nos têtes comme une canopée. Le tapis de feuilles mortes crissait d'humidité en s'écrasant sous nos pas.

Pas un oiseau ne chantait. Peut-être la trop grande mélancolie du ciel leur avait-elle ôté les mots de la bouche.

Tout était calme.

Par moments, le vent, soufflant comme s'il venait de se le rappeler, secouait la cime des arbres avec un murmure pareil à celui des haricots que l'on sème. Un tronc abattu, absent la dernière fois, bloquait le chemin. J'ai aidé Yûji à soulever son vélo pour passer par-dessus.

La limite de la forêt n'était pas loin, et nous avons débouché sur l'usine en ruines. Le ciel s'était encore assombri.

Alors, la toute première goutte est tombée sur mon épaule, effleurant mon visage.

« Il commence à pleuvoir. »

L'averse a vite gagné en intensité. Le béton, humidifié par la pluie, dégageait une odeur empreinte de nostalgie. Les ruines de cette vaste usine ne comportaient pas le moindre endroit où s'abriter. Mieux valait retourner dans la forêt.

Ayant décidé de retourner sur nos pas, j'ai appelé Yûji :

« Allez, on rentre. »

Mais il ne m'a pas entendu. Le front tendu avec obstination, les cheveux plaqués par l'humidité, il observait quelque chose d'un air grave. Ses yeux et ses sourcils froncés lui donnaient une allure particulièrement adulte tandis qu'il scrutait l'horizon de tout son être.

J'ai suivi la direction de son regard.

Une simple tache de couleur pâle se détachait sur le paysage gris balayé par la pluie. Elle flottait devant l'unique pan de mur retenant la porte n° 5. Essuyant de la pointe des doigts les gouttelettes qui obstruaient mes cils, j'ai concentré de nouveau mon regard. C'est alors que j'ai soudain reconnu une silhouette familière.

Mes yeux ne me trompaient pas.

C'était Mio.

Drapée d'un cardigan rose cerisier, elle était accroupie devant la porte. Lentement, j'ai baissé les yeux vers Yûji. Il m'a retourné mon regard. Il a écarquillé les yeux, la bouche grande ouverte.

Il m'a murmuré d'une voix minuscule, comme pour me confier un immense secret :

« C'est sérieux, Tak-kun. »

Il a cligné furieusement des yeux, avec nervosité.

« Maman... a-t-il dit. Maman est revenue d'Archevie, finalement. »

Nous nous sommes approchés d'elle en tremblant. Non par peur. Ni parce que j'étais un de ces maris redoutant le fantôme de son épouse. Mais plutôt parce qu'il me semblait que le moindre souffle d'air pourrait effacer son existence.

Yûji pensait probablement la même chose. Il s'est abstenu de courir embrasser Mio.

Ou sans doute avait-il conscience de la nature éphémère du bonheur.

Quant à moi, en adulte plein de bon sens, je n'oubliais pas mon besoin de trouver une explication rationnelle à tout cela.

La théorie du double.

Un étranger qui pourrait être un jumeau, ou bien un véritable jumeau qui ne vous est pas étranger. Si c'était une étrangère, la ressemblance était tellement parfaite qu'il était difficile de croire à un spectre ; mais dans le cas d'une jumelle, il eût été impossible que je ne sois pas au courant de son existence. Elle avait un frère et une sœur, tous deux ses cadets, qui ne lui ressemblaient pas du tout. Contrairement à moi qui, bien que n'ayant aucun lien de sang avec elle, aurais pu passer pour son grand frère. Je n'avais jamais entendu parler de quelque jumelle, séquestrée quelque part, affublée d'un masque.

La théorie selon laquelle elle était bel et bien en vie.

Je n'y crois pas.

C'est une idée envoûtante, mais impossible.

Car alors, j'aurais veillé au chevet d'une autre, assisté à l'enterrement d'une autre, parlé sur la tombe d'une autre.

Je ne suis pas si stupide.

D'autres théories – celle de l'alien, celle du clone – ont fait surface, le genre d'histoires auxquelles David Duchovny... pardon, l'agent Mulder croirait, mais ce n'était pas mon cas.

C'était ce que je me disais tout en l'approchant pas à pas, mais l'idée qui m'est apparue comme la plus plausible était celle que cette femme qui se tenait devant mes yeux n'était autre que le spectre de mon épouse.

Car, comme elle me l'avait dit elle-même :

« Lorsque la saison des pluies sera de retour, je reviendrai sans faute voir comment vous vous débrouillez, tous les deux. »

Elle avait donc tenu sa promesse, en venant à notre rencontre, par une journée pluvieuse de juin.

Après m'être approché au point de pouvoir la toucher rien qu'en tendant la main, je l'ai vue clairement. La femme accroupie avait deux petits grains de beauté à l'oreille gauche. Et puis, la pointe blanche de sa double incisive pointait entre ses lèvres entrouvertes.

Ce n'était pas une inconnue qui ressemblait à Mio, ni sa jumelle, ni son clone.

C'était Mio elle-même.

Si l'expression vous paraît inadéquate, je puis la reformuler ainsi : il s'agissait d'une présence pourvue du cœur de Mio, de son apparence extérieure, ainsi que, selon toute vraisemblance, de ses souvenirs. Elle était bien réelle pour un spectre, avec des contours définis, et pour couronner le tout, elle sentait bon.

Le parfum de ses cheveux, si nostalgique.

Je ne puis offrir de comparaison, ni le désigner autrement que par « cette odeur ». Tel un message intime, qu'elle ne transmettrait qu'à moi.

Un message unique au monde.

Que je percevais de nouveau, en cet instant.

Elle ne semblait pas avoir remarqué notre présence, occupée qu'elle était à contempler les gouttes de pluie à ses pieds d'un air absent. En y regardant de plus près, ses joues paraissaient un peu plus rebondies que lorsqu'elle nous avait quittés. C'était son visage tel qu'il était avant que sa maladie n'empire. Elle semblait plus jeune, en meilleure santé.

Voilà qui manquait de logique.

Un fantôme en pleine forme tient de la contradiction, tout comme un financier altruiste ou un Woody Allen optimiste. Peut-être les fantômes, lorsqu'ils reviennent sur terre, se montrent-ils sous leur jour le plus heureux ?

Elle portait une robe blanche unie sous son cardigan fleur de cerisier. Était-ce la tenue fournie sur Archive ? Tous ses habitants porteraient-ils donc bien des vêtements blancs ? On a toujours cru que la tenue standard des fantômes était blanche, mais on pourrait s'attendre qu'ils aient adopté quelque chose de plus branché ces derniers temps...

« Maman ? » l'a appelée Yûji d'une petite voix tremblante, incapable de tenir plus longtemps.

Remarquant alors seulement notre présence, Mio a levé la tête. Elle nous a regardés tous les deux d'un air neutre, dénué d'émotion. Lentement, elle a fermé les yeux, puis les a rouverts, avant d'incliner légèrement la tête.

Chacun de ces petits gestes m'était si nostalgique, si précieux, que je m'en sentais au bord des larmes. Si c'était là un spectre, rien ne le distinguait de mon épouse. Je l'aimais aussi, bien sûr.

Doucement, je lui ai tendu la main, comme pour m'assurer de son existence. Elle a eu l'air un peu apeuré, son corps s'est figé.

Y avait-il quelque problème ? Était-ce contre les règles de toucher les humains ?

Incapable cependant de retenir mon impulsion, j'ai posé ma main sur son épaule.

Contrairement à mes attentes, il ne s'est rien passé.

Dans ma main, je sentais sa frêle épaule, trempée par la pluie, mais elle rayonnait d'une chaleur diffuse. Je me rappelle en avoir conçu une légère surprise. J'aurais trouvé plus probable de ressentir un contact plus froid que cette pluie de juin, ou de refermer les doigts sur de la brume couleur de cerisier en fleur plutôt que sur son épaule.

Quoi qu'il en soit, elle était bien présente, dégageait une odeur agréable, et mon cœur battait violemment.

Yûji, lui aussi, s'était approché progressivement de Mio, tendant une petite main qu'il avait refermée avec précaution sur l'ourlet de son cardigan. Elle a esquissé un sourire à son adresse, mais ses joues se sont figées, ne laissant qu'une expression suspendue.

Qu'était-ce donc ?

Cet étrange sentiment d'inconfort...

Saisi d'anxiété, j'ai essayé de l'appeler par son nom :

« Mio ? »

Elle m'a contemplé, entrouvrant légèrement ses lèvres fines. Laissant apparaître sa double incisive.

« "Mio"...? a-t-elle soufflé. Serait-ce mon nom ? »

C'était bien sa voix, claire et aiguë, légèrement tremblante sur les fins de mots, et si familière.

Sous l'effet de cette voix nostalgique, j'ai d'abord ressenti l'envie grandissante de pleurer, mais la signification de ses paroles m'a surpris, rembarrant mes larmes.

« Comment cela, "serait-ce mon nom" ? Tu ne te rappelles pas ?

— Hmm ? a dit Yûji.

— Il semblerait bien, a répondu Mio.

— Ah bon ? a fait Yûji.

— À vrai dire, je ne me rappelle rien...

— Comment cela, "rien" ? »

J'agitais les mains en tous sens, sans raison.

« Rien du tout ?

— On dirait bien. »

Elle a esquissé un sourire plein d'autodérision, comme déçue d'avoir perdu à la loterie.

« Alors ? a-t-elle demandé. Vous deux, vous êtes qui ?

— Comment ça, "qui" ? ai-je rétorqué, toujours pas pleinement satisfait. Je suis ton mari, et Yûji est ton fils.

— C'est ça. Ton fils, a confirmé Yûji.

— Pas possible.

— Mais si, ai-je répliqué.

— Si, c'est vrai, a assuré Yûji.

— Attendez une minute. »

Mio a produit une paume, comme pour stopper nos paroles, tandis que de l'autre main elle se tenait la tête.

« Quand je vous ai remarqués, vous étiez déjà là ? »

Les yeux clos, la mine sérieuse, elle a rassemblé ses souvenirs.

« C'était il y a quoi, une dizaine de minutes ? Depuis, j'ai beau penser, je suis incapable de me rappeler quoi que ce soit. Où je suis, ce que je fais ici, et encore moins qui je suis, assise là à me creuser la tête. »

En entendant ces mots, je me suis mis à réfléchir. Autrement dit, elle avait débarqué à cet endroit une dizaine de minutes plus tôt. À cet instant donné, elle avait, semble-t-il, laissé tous ses souvenirs sur Archive, d'une façon ou d'une autre.

Ce qui revenait à dire qu'elle avait même oublié jusqu'au fait qu'elle était un fantôme. (Peut-être...)

Donc, autrement dit... qu'est-ce que c'était que cette histoire ?

« Est-ce que je suis venue ici aujourd'hui avec vous ?

— En effet, ai-je dit, souriant à ma rapidité de jugement.

— Hein ? » a laissé échapper Yûji.

J'ai saisi sa nuque étroite.

Il s'est tu.

« On est venus ensemble, tous les trois. C'est notre promenade dominicale habituelle.

— Vraiment ?

— Oui, ai-je acquiescé. Ensuite, Yûji et moi on est allés jouer dans la forêt en te laissant là. Et quand on est revenus, tu étais dans cet état. Tu te seras sans doute cogné la tête quelque part en te retournant.

— Autrement dit, ce choc aurait suffi à me rendre amnésique ?

— Il semblerait, oui.

— Vraiment ? » a demandé Yûji.

J'ai resserré mon emprise sur sa nuque.

Il s'est tu.

« Enfin bref, rentrons à la maison. La mémoire te reviendra vite, à coup sûr.

— Vous croyez ?

— J'en suis convaincu. »

Elle s'est redressée lentement. Sa robe humide était plaquée sur ses cuisses, l'ourlet laissant échapper des gouttelettes.

« Allez, dépêchons-nous de rentrer. Tu vas attraper froid.

— C'est juste. »

Elle serait plus heureuse en ne sachant rien. Inutile de lui rappeler des souvenirs douloureux.

Et puis, je m'étais souvenu d'une chose qu'elle m'avait répétée.

« Je reviendrai avec la saison des pluies », m'avait-elle dit, et à l'époque, cela avait été ses derniers mots.

Voilà ce qu'elle avait dit.

« C'est juste. Je vous rendrai visite, en compagnie de la pluie, pour vérifier que vous vous débrouillez de votre mieux, et puis je m'en retournerai avant l'arrivée de l'été. Car, tu le sais bien, la chaleur ne me réussit pas. »

Si elle-même avait oublié d'où elle venait, peut-être oublierait-elle également de retourner sur Archive. Alors, nous pourrions vivre tous ensemble, pour toujours.

Yûji et moi, et Mio. Tous les trois.

Si nous pouvions vivre ensemble tous les trois, le fait que ma femme fût un spectre ne poserait aucun problème.

Vraiment.

Mio et Yûji avançaient côte à côte le long du sentier forestier, tandis que je les suivais en poussant le vélo derrière. Tout d'abord nerveux au point de sembler incapable de se calmer, Yûji, qui s'était ressaisi, a finalement tendu la main à Mio. Dès qu'elle s'en est aperçue, elle l'a attrapée. Yûji, détendu, a levé les yeux vers Mio. Elle a esquissé un tendre sourire à son adresse. À cet instant, Yûji, incapable de se retenir plus longtemps, s'est mis à pleurer à chaudes larmes.

Non sans raison. C'était la première fois qu'il tenait la main de sa mère depuis un an.

Elle s'est retournée et m'a regardé, l'air de demander : « Qu'est-ce qui se passe ? »

« Tu finiras par t'en rendre compte... ai-je expliqué. Yûji est un gros pleurnichard. »

En disant cela, je me fournissais d'avance une explication si jamais Yûji venait à pleurer à un moment inopportun.

« Il est un peu perturbé. Par ton amnésie soudaine.

— Vraiment ? » a demandé Yûji avec force sanglots.

J'ai poursuivi sans lui prêter attention :

« Ne t'en fais pas trop, simplement, sois gentille avec lui. Comme tu l'as toujours fait jusqu'à présent. »

Elle a acquiescé, comme pour dire « entendu », puis elle a posé les mains sur les épaules minces de Yûji pour le serrer dans ses bras. Percevant la chaleur de sa mère, il s'est laissé envahir d'une douce hébétude, comme ivre de ses propres larmes.

En y repensant, il avait déjà fait l'expérience de la séparation de sa mère. Puisque ces retrouvailles risquaient de nous conduire à de nouveaux adieux, il était clair que nous nous préparions à la tristesse à venir.

« Avant l'arrivée de l'été », avait-elle précisé.

Si ces paroles étaient sincères, peu de temps s'offrait à nous.

(Une fois à la maison, j'allais les gâter autant que faire se peut.)

Saisissant un pan de la robe de Mio, j'ai pressé mon visage contre ses hanches pour faire part de ma décision à Yûji qui sanglotait.

6

Une fois de retour à la maison, j'ai conduit Mio dans la pièce du fond pour lui indiquer le contenu de chacun des tiroirs du placard. Ses vêtements occupaient toujours la même place, un an après.

Yûji et moi nous sommes changés rapidement dans la pièce principale avant d'aller nous enfermer dans les toilettes. C'était le seul endroit où je pensais pouvoir lui parler sans que Mio nous entende.

Yûji s'est assis sur la cuvette, tandis que je m'adossais contre la porte, en face de lui.

« Tu as compris ? lui ai-je demandé à voix basse. Maman ne se rappelle rien.

— Vraiment ?

— Hmm. Ni sa vie avec toi et moi, ni tout ce qui a pu se passer avant notre mariage. »

Je me suis raclé la gorge discrètement.

« Et puis... elle ne se souvient pas non plus d'être tombée malade et d'avoir quitté notre monde il y a un an.

— Hmm.

— C'est pour ça que je pense qu'on ferait mieux de garder tout ça secret.

— Tout ça quoi ?

— Comment ça, "quoi" ? Comme je te dis, j'ai décidé de faire croire à maman qu'elle n'est jamais partie et qu'elle a toujours vécu avec nous dans cet appartement !

— Même hier ?

— C'est ça.

— Et même avant-hier ?

— Voilà.

— Et si jamais maman me pose des questions, qu'est-ce que je lui dis ?

— À quel sujet ?

— N'importe.

— Tout ira bien.

— Je sais pas si je vais y arriver…

— Dans ce cas, tu n'as qu'à pleurer et jouer la comédie. Ça ira si tu pleures très fort.

— Vraiment ?

— Hmm. Puisqu'elle nous a fait la joie de revenir parmi nous, je pense qu'il ne vaut mieux pas qu'elle sache combien c'était triste d'être séparés.

— Je suis d'accord.

— N'est-ce pas ? Et puis, si elle savait la vérité, elle pourrait se croire obligée de retourner sur Archive…

— Oh non !

— Alors, fais de ton mieux.

— Hmm, je vais essayer. »

On s'est tapé dans la main en signe de courage, puis j'ai ouvert la porte pour sortir.

Mio se tenait juste en face.

J'étais très surpris, mais je n'en ai rien laissé paraître. Ceci dit, il était sans doute évident que je faisais semblant de ne pas être étonné alors que je l'étais profondément.

Avait-elle entendu notre conversation ? J'ai guetté son expression.

« Alors comme ça, les hommes vont aux toilettes ensemble dans cette maison ? »

Sauvés, en apparence.

« Eh bien oui… Hmm, parfois. Ça nous arrive, quand on est pressés. Comme maintenant. »

Elle a pris un air un peu effrayé.

« Et alors, c'est quoi, ça ? »

Elle montrait du doigt le centre de la pièce.

« Comment ça, "quoi" ?

— Pourquoi est-ce qu'il y a tant de choses éparpillées ?

— "Éparpillées"…? »

À mes yeux, tout était suffisamment ordonné, à sa bonne place d'un point de vue pratique. Les vêtements que nous avions prévu de porter à la maison ce jour-là étaient disposés en une pile dans le coin nord de la pièce. Le linge sorti de la machine entassé à côté. Les habits sales étaient rassemblés au sud afin de ne pas les mélanger au reste. Les bandes dessinées et les livres qui ne rentraient pas sur les étagères étaient tous rangés dans des sacs plastiques de supermarché, classés par auteur.

Deux sacs d'ordures à incinérer qui avaient manqué le jour de la collecte reposaient près de la fenêtre. Quand bien même, je n'aurais pas dit que nos affaires étaient « éparpillées ».

Tout était à sa place, suivant un système parfaitement contrôlé.

« Certes, il y a pas mal de choses par terre… ai-je dit. Mais même comme ça, elles sont arrangées selon une logique.

— Est-ce que c'est moi qui ai tout rangé comme ça ?

— Ah... ai-je répondu, avant d'ajouter : Non. »

Autrement dit, voilà. Quand on ment sans en avoir l'habitude, les failles ont vite fait d'apparaître.

« Tout ça... c'est moi qui l'ai mis là. »

J'ai gagné du temps avec des « euh... », et des grattements de tête, des « eh... », et des raclements de gorge.

« En fait, voilà. Tu n'étais pas très bien ces derniers temps, aussi tu n'as pas pu entretenir la maison.

— Vraiment ?

— Oui, tu étais alitée depuis une semaine environ.

— Donc, je n'ai pas pu faire la lessive, et c'est pour ça que vous ne portez que des vêtements sales ? »

J'ai regardé le sweat-shirt que j'avais enfilé.

« Il est sale ?

— En tout cas, je n'appelle pas ça propre. Vous le portez depuis combien de temps ?

— Ça ne fait que trois jours...

— Ça ne serait peut-être pas si terrible si vous mangiez un peu plus proprement. »

Après quoi, elle a pointé du doigt la montagne de linge propre.

« Les chemises seront toutes froissées si vous ne les battez pas correctement avant de les laisser sécher.

— Les battre ? Comment ? »

Mio a remué la tête, comme pour dire « ça va comme ça ».

« Mais, puisque j'étais alitée depuis une semaine, comment se fait-il que je sois allée me promener jusque là-bas aujourd'hui ?

— Convalescence.

— Ah bon ?

— … sans doute.

— Sans doute ?

— C'est une habitude chez nous, et tu disais que tu irais coûte que coûte.

— J'ai dit ça ?

— Il faut croire. »

Mio a poussé un soupir.

« Je... »

La main sur la poitrine, elle a approché son visage du mien.

« Est-ce que je suis vraiment votre épouse ?

— Vraiment. Pas "peut-être", ni "on dirait bien", mais vraiment vraiment. »

L'expression de son visage semblait exprimer de sérieux doutes envers elle-même et demander « Pourquoi irais-je épouser un type pareil ? ».

« Enfin, ça s'est bien passé. »

J'aurais mieux fait de me taire. Elle a paru de plus en plus incertaine. Était-ce à mon sujet ou au sien, je n'en sais rien.

« Quel peut bien être notre nom de famille ?

— Aio.

— Alors, je m'appelle Aio Mio ?

— C'est ça. Ton prénom s'écrit avec la clé de l'eau[1].

— Aio Mio...

— C'est ça.

---

1. Aio s'écrit avec les caractères *ai/aki*, contenant l'élément du feu, et *ho/sui* contenant l'élément de l'eau, ce qui rend le rapprochement entre les deux caractères quelque peu cocasse. (*N.d.T.*)

— J'ai quel âge ?

— Vingt-neuf ans, comme moi.

— Vingt-neuf ans. »

Pourtant, le rideau était déjà tombé une fois sur sa vie, lors de sa vingt-huitième année. Vingt-neuf représentait un futur dont elle n'était pas censée disposer. Ce qui n'empêchait pas la femme qui se tenait devant mes yeux de paraître plus jeune.

Vraiment jeune.

Vonnegut avait bien prédit que les personnes passées de l'autre côté pouvaient choisir leur âge suivant leur préférence.

Dans son roman *Gibier de potence*, son père apparaît au paradis âgé de neuf ans. Ce dernier sert constamment de souffre-douleur aux autres enfants, qui lui abaissent la culotte. Ses persécuteurs lui arrachent son slip pour l'enfoncer dans la bouche de l'enfer, qui ressemble à un puits. Venant des tréfonds du puits, on entend les hurlements de Hitler, Néron, Salomé, et d'autres de leurs semblables.

Vonnegut décrit ainsi la scène :

« Je m'imaginais Hitler (et il en bavait déjà pas mal) en train de se retrouver avec les petits caleçons de mon père sur la tête[1]. »

Enfin bref, ce que je me suis dit, c'est que c'était une chance que mon épouse ne soit pas revenue à l'âge de neuf ans.

« Quel âge a Yûji-kun ? a-t-elle demandé.

— Hein ? a fait une voix depuis les toilettes.

---

1. *Gibier de potence*, Kurt Vonnegut, Seuil, 1981.

— Six ans. Il est en première année de primaire », ai-je répondu.

Il était extrêmement étrange de l'entendre affubler Yûji du suffixe « kun ». Comme si elle avait été une proche, mais non ma femme. Comme une cousine que j'aurais bien connue depuis l'enfance.

« Autrement dit, je serais une ménagère de vingt-neuf ans, avec un enfant de six ans.

— Tu as tout compris.

— Pourtant ce n'est pas du tout l'impression que j'en ai...

— Je vois.

— Et donc, j'étais amoureuse de vous ? Au point de vouloir vous épouser ? »

C'était là la plus grande énigme, à en croire l'expression de son visage.

« Ça va peut-être te paraître invraisemblable, mais... en effet. »

Quelque part, je commençais, moi aussi, à perdre confiance. Pourquoi aurait-elle choisi quelqu'un comme moi ? Il n'y avait pas que pour elle que cela tenait du mystère.

« Comment avons-nous fait connaissance ?

— Au lycée. Nous nous sommes rencontrés au printemps de nos quinze ans.

— Mais alors, nous étions camarades de classe ?

— C'est ça. Nous étions dans la même section pendant trois ans. »

Un sourire bienveillant a émergé sur son visage.

« Je vous en prie... vous voulez bien me parler de cette époque ?

— Bien sûr. »

Je lui ai adressé un sourire (le plus beau sourire que j'avais en ma possession), puis j'ai commencé à lui faire le récit de notre heureuse rencontre, en ces temps reculés, à l'ère innocente des mythes et légendes.

« Eh bien, lorsque nous nous sommes rencontrés... »

C'est alors qu'a retenti la chasse d'eau des toilettes, dont est sorti Yûji.

« Aaah, ça va mieux ! »

Apparemment, il avait profité de l'occasion pour s'acquitter d'un besoin fondamental.

« Et la chemise de mon petit bonhomme ? s'est enquis Mio en regardant Yûji essuyer ses mains humides sur son torse. Combien de jours cela peut-il bien faire ?

— Quatre jours, je crois... »

En fait, c'était cinq.

« Vraiment ?

— Je crois bien.

— Il faut faire un peu plus attention en mangeant...

— Celui-là, je te jure...

— Vous aussi.

— Ah ? Bon... »

Ainsi donc, Yûji et moi avons fait attention en mangeant ce soir-là.

Le menu consistait en spaghetti bolognaise que j'avais préparés en hâte, mais ni lui ni moi n'avons laissé choir la moindre miette de viande sur la table, et bien sûr, nos chemises sont restées propres.

Merveilleux.

Mio a mangé ses spaghetti comme si elle en avait l'habitude. Après quoi elle est allée aux toilettes. Ce comportement ne semblait guère typique d'un fantôme, mais puisqu'elle ne semblait en concevoir aucune gêne, peut-être était-ce naturel.

Après le repas, Mio, qui disait être fatiguée, est allée dans la chambre du fond sortir un futon pour s'étendre dessus. Elle se sentait un peu perdue, et la confusion a tendance à fatiguer les gens.

Yûji s'est hâté de déployer son futon auprès d'elle pour s'y blottir, *Momo* serré contre lui. Dans tous les cas, être à ses côtés suffisait à son bonheur.

Vu de la pièce où je me trouvais, il semblait faire mine de lire son livre tout en vérifiant de temps à autre l'état de Mio. Une fois qu'il se fut assuré qu'elle était toujours présente, un soupir de soulagement et de félicité s'est échappé de ses lèvres menues.

J'ai ôté le sweat-shirt que je portais et l'ai mis dans le lave-linge avec la chemise de Yûji.

Même si cela ne me dérangeait pas spécialement, il n'était apparemment pas correct de porter des vêtements tachés de soda et de sauce. Personne ne me l'avait jamais appris. Du temps de Mio, des vêtements apparaissaient régulièrement devant mes yeux, propres et bien pliés, sans que j'aie besoin de m'en soucier.

Depuis que j'étais seul avec Yûji, je m'efforçais de faire le maximum, mais mon maximum ne semblait pas satisfaire ne serait-ce que les cinq dixièmes des exigences du monde.

Quelque part, dans ce vaste univers, il doit y avoir une famille monoparentale absolument parfaite, où père et enfant portent des vêtements immaculés, dénués de plis ou de taches, vivent dans des pièces sans la moindre poussière, pareilles aux chambres stériles d'une fabrique de microprocesseurs, et prennent leur voiture le dimanche jusqu'à un multiplexe de banlieue pour y voir un Disney tout en se goinfrant de pop-corn tous les deux.

Merveilleux.

J'avais depuis longtemps cessé de souhaiter l'impossible ou l'irréalisable. Je ne représente que les vestiges d'un être normal une fois dépouillé de toutes sortes d'éléments. C'est pourquoi je ne serai sans doute jamais capable d'élever Yûji comme un enfant issu d'une famille normale.

Et pourtant, je fais des efforts.

Il m'arrive de ne pas remarquer ce que je devrais remarquer, d'oublier ce que je devrais me rappeler, de me laisser gagner par la fatigue et de m'endormir sans accomplir ce que j'avais à faire, mais, en dépit de tout cela, je m'efforce de m'améliorer, petit à petit.

Comment voit-elle cet homme que je suis ?

Je comprends qu'elle veuille revenir sur cette planète pour voir comme on se débrouille, Yûji et moi. Si elle s'en souvenait, comment formulerait-elle ses impressions ?

Est-ce qu'elle soupirerait, avant de dire : « J'en étais sûre » ?

Jamais elle ne dirait : « Oh, mais c'est que tu t'es donné à fond, pas vrai ? »

Un peu après dix heures, j'ai pris une douche et enfilé mon pyjama. Comme je me réveille plusieurs fois dans la nuit, si je ne me couche pas dans ces eaux-là, la journée suivante s'avère pénible.

Pour moi, dormir c'est comme être veilleur de nuit et patrouiller sans fin dans un énorme immeuble de bureaux.

L'édifice compte des milliers de pièces, et lorsque j'en trouve une d'où filtre de la lumière, j'ouvre la porte pour y entrer. Dans la pièce se trouve un vieux poste de télévision, aussi m'assieds-je sur le canapé pour passer le temps en regardant des rêves qui ressemblent à des films de série B. Mais un méchant inconnu survient immanquablement et coupe l'alimentation de la télé.

Clic.

Impuissant, je me relève, quitte la pièce devenue sombre, et me mets en quête du prochain songe.

Ainsi passe la nuit.

Clic.

Réveillé par ce son, je pars à la recherche du rêve suivant.

Clic.

Clic.

Épuisant.

J'ai interpellé Mio dans la pièce voisine.

« Comment te sens-tu ? »

Elle a contemplé Yûji, l'air absent, avant de lever lentement les yeux, mais sans atteindre mon visage. Son regard flottait dans le vide, quelque part entre Yûji et moi.

« J'ai mal à la tête.

— Tu n'as pas de fièvre ? Tu as peut-être attrapé froid, à force de rester trempée sous la pluie. »

Elle a opiné vaguement, ni affirmative, ni négative.

« Je n'en suis pas sûre...

— Ça te dérange que j'entre ? »

Je trouvais un peu indécent d'aller la rejoindre en pyjama. Pour la simple et bonne raison que je n'étais pour Mio, d'un point de vue émotionnel, qu'une rencontre toute fraîche. Et puis, moi aussi, j'étais un peu gêné, après un an de séparation.

« Je vous en prie. C'est votre chambre, après tout. »

J'ai marché jusqu'à son oreiller, me suis agenouillé, puis ai posé la main sur son front. Il m'a semblé qu'elle avait une très légère fièvre. Les spectres attraperaient-ils froid ?

« On dirait que tu as de la fièvre. Mais très légère.

— Ça ira. Elle tombera en dormant.

— Vraiment ?

— Oui. »

C'était un sentiment des plus mystérieux.

Le contact de ma main sur son front. Sa chaleur. Son odeur.

Un refrain de conversation banale, peut-être déjà échangé un jour.

J'avais l'impression que sa mort, un an auparavant, n'était qu'un mensonge. Est-ce que, par hasard, je venais de me réveiller d'un rêve digne d'un film hollywoodien dont l'héroïne était gravement malade ?

Clic.

Pourtant, ses paroles disaient le contraire.

« Il est mignon, Yûji-kun. »

Cela m'a rendu triste, aussi lui ai-je répondu d'un ton sec :

« Tu es sa mère.

— Je suppose. J'aimerais pouvoir me le rappeler très vite, mais…

— Ça ne fait rien.

— Oui. »

Et si… me disais-je. Et si elle avait laissé sa mémoire derrière elle en quittant cette planète ? Ses souvenirs seraient restés ici, dans cette chambre. Dans ce cas, cela lui aurait sans doute causé des difficultés sur Archive. Car après tout, les habitants de cet astre-là se devaient d'écrire des livres pour le « quelqu'un ».

Les personnes privées de souvenirs ne pouvaient décrire autre chose que la vacuité de l'absence de souvenirs. Ce n'est pas ce que j'appellerais un sujet passionnant.

À nous de lui donner quantité de souvenirs qu'elle pourra emporter lorsque le temps viendra pour elle de retourner une nouvelle fois sur cette planète. Et faire ainsi en sorte qu'elle écrive un livre sur nous, Yûji et moi.

Afin que « quelqu'un » puisse le lire.

Yûji s'était assoupi en serrant *Momo*. Sa petite bouche légèrement entrouverte, ses fines paupières aux veines bleues fermées, il dormait profondément. J'entendais son souffle chargé siffler de son nez.

Le prince heureux.

Sans doute fait-il de beaux rêves.

i ai doucement pris *Momo* des mains.
remis dans la boîte colorée qui lui sert
iothèque.

onne nuit, alors, ai-je dit à Mio à côté de
lui.

— "Bonne nuit"... mais vous, où allez-vous
dormir ?

— Je vais étendre mon futon dans l'autre
pièce. »

Mio a remué lentement la tête.

« Dormez ici. Avec Yûji. C'est bien ce que vous
faites chaque soir ? Tous les trois, alignés...

— Oui, mais... »

Ce n'était pas vrai. Puisque nous n'étions que
deux, depuis longtemps.

.. Mon voisin Yûji et moi.

L'un à côté de l'autre.

« Ça ne te dérange pas ? Après tout, pour toi,
je ne suis qu'un inconnu que tu viens de rencontrer...

— Ça ira. J'ai le sentiment que la mémoire me
reviendra plus vite si nous reprenons nos vieilles
habitudes, naturellement. »

Il se peut que tu aies perdu à jamais ces souvenirs indéfectibles.

En même temps que cette vie.

Ces paroles me brûlaient les lèvres, mais je
les ai ravalées.

« Allez, bonne nuit. »

J'ai étendu mon futon parallèlement à celui
de Mio et me suis allongé à ses côtés, Yûji entre
nous deux. J'ai tiré sur le cordon pour éteindre
la lampe fluorescente en ne laissant que la
veilleuse orange. Il arrive que Yûji se réveille
pour aller aux toilettes au milieu de la nuit, aussi

je ne plonge jamais complètement la pièce dans l'obscurité.

J'étais nerveux, pour une raison inconnue.

Elle n'avait rien d'un fantôme, et mon amour chantait encore à tue-tête dans ma poitrine. *Hooohoho, yooohoyo, hooohoho, yoohoho !* Un air vaillant dans ce genre.

« Dites…

— Oui ?

— Au sujet de notre conversation de tout à l'heure… » a-t-elle chuchoté, comme pour me demander « dis-m'en plus ».

Cette voix éveillait quelque chose en moi. Ce quelque chose se répandait dans ma poitrine, affluant à la base de ma gorge, remontant au fond de mes narines et à l'intérieur de mes paupières, et j'ai été saisi de l'envie de pleurer.

« D'accord, lui ai-je répondu. Je continue mon histoire. »

Lorsque nous nous sommes rencontrés, nous avions tous les deux quinze ans, et le monde se résumait à hier, aujourd'hui et demain.

Tu comprends ? À cet âge, nous n'étions pas tournés vers le passé, et nous n'avions nul intérêt pour le futur au-delà du lendemain.

Tu étais une fille effroyablement mince.

Plutôt qu'une fille androgyne qui ressemblait à un garçon, on aurait dit l'esprit d'une cuiller à café aux allures de jeune fille. Tu avais les cheveux coupés extrêmement court, sans doute plus court que n'importe qui d'autre dans la classe (garçons compris).

Et puis, tu portais des lunettes à monture argent.

une jeune fille de cet âge, cela revenait
àarer : « Je n'en ai strictement rien à faire,
s garçons. Alors, fichez-moi la paix. »

Je me souviens qu'il devait y avoir trois filles
comme cela parmi les élèves. Mais la plupart des
autres filles ne portaient pas de lunettes en classe,
quelque faible qu'eût été leur vue. Elles met-
taient des lentilles de contact, ou alors elles
s'efforçaient de s'en passer, lorsque cela ne les
gênait pas de ne pas bien voir, ce genre de
choses.

Cette histoire remonte à quinze ans. À une
époque où on ne disposait pas de montures
branchées comme maintenant, et où les jeunes
filles à la page ne portaient donc pas de lunettes.

C'est pourquoi, dans un sens, tu sautais litté-
ralement aux yeux. Tu étais clairement différente des autres filles. Tu avais une tête deux
fois plus petite que celle de nos camarades de
classe, ta double incisive semblait d'une taille
disproportionnée au milieu de ce petit visage, et
de ce fait, tu m'avais laissé une plus vive impression que n'importe qui d'autre.

J'étais un garçon un peu simple, qui gobait
tout ce qui se trouvait alors devant ses yeux, et
j'acceptais tels quels les signaux que tu envoyais.

« Compris. Je ne mettrai jamais la main sur
toi. »

Même si je n'avais jamais mis la main sur
aucune fille, de toute façon.

Pourtant, je dois l'avouer, j'avais bien remarqué ton charme.

Plus que tout, tu étais sérieuse. Ce n'est pas
une qualité généralement considérée comme

séduisante, mais j'aimais les gens sérieux, je pensais que c'était une des plus grandes vertus, qu'il fallait reconnaître à sa juste valeur. Le sérieux est lié à la confiance, et la confiance est une grande composante de l'amour. C'est pourquoi, en réalité, les individus sérieux en connaissent plus que les individus sensuels sur le chapitre de l'amour. Je le sais parce que je suis moi-même quelqu'un de sérieux.

Et puis, même si je ne m'en étais pas rendu compte alors, tu avais de la sensibilité, de l'humour et de la sagacité à revendre. Derrière les lunettes se trouvait une jeune fille sensible, qui tendait la main dans ma direction en attendant l'amour véritable.

Pour couronner le tout, d'un point de vue esthétique, tu étais vraiment très belle. La ligne qui s'élançait de ta chevelure et de ton cou jusqu'à ta mâchoire était, pour tout dire, remarquable. Phrénologiquement parlant, tu étais superbe. C'est sans doute pour cette raison qu'on te demandait si souvent de poser pour des peintures ou des sculptures. On te choisissait fréquemment comme sujet de photographie, et tu servais souvent de modèle aux petits dessins que je gribouillais dans mes manuels.

Quoi qu'il en soit, c'est cette personne que j'ai rencontrée au printemps de mes quinze ans.

Dans la même classe, dans le même groupe, assis derrière toi, c'était moi. Dans les trois ans qui ont suivi, les sections étaient redistribuées chaque année, mais nous étions toujours dans la même classe, dans le même groupe, moi directement à ta droite, à ta gauche, ou juste derrière. C'est ainsi que toi et moi avons passé

...up de temps, au quotidien, à nous mou-
...e conserve dans un petit cercle de deux
...res de diamètre.

À cet âge, alors en pleine maturation
sexuelle, nous diffusions des substances
chimiques dans notre sillage, portant le message que nous étions à la recherche de parte-
naires avec lesquels concevoir une descendance.
Les personnes qui les recevaient, qu'elles en
aient conscience ou non, émettaient à leur tour
des hormones en guise de réponse. C'étaient là
les mots doux qui s'échangeaient à l'insu de
notre vigilance.

Enfermés dans notre cercle de deux mètres de
diamètre, nous échangions ces mêmes substances à une fréquence plus élevée que quiconque. Que nous recopiâmes les phrases au
tableau au crayon de papier, que nous écou-
tâmes parler le professeur en luttant contre le
sommeil, nous conversions à l'aide de ce
modeste moyen de communication.

(Il y a quelqu'un ? Cherche partenaire amoureux.)

Cette activité si intime se déroulait à notre
insu, jamais nous ne nous en sommes rendu
compte.

Toi, avec tes lunettes à monture métallique et
tes allures d'esprit de cuiller détaché de l'amour,
tu jouais les indifférentes. Il n'y avait aucun lien
entre tes cheveux radicalement courts, ta jupe
d'uniforme qui tombait au genou, tes boucles
d'oreilles, ton collier et même ton baume à
lèvres. En cours, tandis que tu prenais tes notes
avec zèle, ton regard sortait rarement du carré

que formaient le tableau noir, le professeur, ton manuel et ton cahier.

Tu étais une élève exemplaire, dans tous les sens du terme.

Merveilleux.

Le fait que tu ne sois jamais, en dépit de cela, en tête des résultats, donnait lieu à des commentaires amusés. Tu n'étais pas un génie, pas même un prodige, tu étais simplement une bêcheuse sérieuse. Tu étais une personne honnête, qui, souvent, ne parvenait pas à saisir l'essentiel. Il arrivait fréquemment que les personnes de ton entourage, auxquelles tu prêtais tes notes de bon cœur, obtiennent de meilleurs résultats que toi. Tes notes étaient écrites clairement, faciles à lire, organisées. Moi aussi, elles m'ont rendu grand service.

Si j'obtenais des résultats corrects, alors que je fuyais souvent la salle de classe ou venais sans mes livres, c'est grâce à ces notes magiques. Quoi qu'il en soit, il n'était jamais difficile, à quiconque avait ne serait-ce que parcouru tes notes, de réussir un contrôle. Si on les lisait avec un peu de jugeote, on pouvait aisément en déduire ce qu'avait voulu dire le professeur. Toi, pourtant, comme tu n'étais pas si futée, tu ne parvenais pas à tirer le même avantage de tes notes que les autres. Tu choisissais toujours la voie d'une progression stable, même si elle prenait plus de temps...

Mio avait fini par s'endormir.

Je me suis tu et ai contemplé son visage endormi baigné de lumière orange. Il tremblait légèrement, en rythme avec sa respiration.

espirait. Elle semblait bien vivante.

_dain, les souvenirs de ses derniers jours
_ ressuscité, et la douleur a parcouru ma poi-
.rine.

Allais-je la perdre une nouvelle fois ?

Je veux rester à ses côtés. Pour toujours, à partir de maintenant, jusqu'à ma mort.

Peu m'importe qu'elle soit un fantôme. Ou même qu'elle nous ait oubliés.

Si elle veut rester à mes côtés, cela me suffit.

Je lui ai dit à voix basse : « Bonne nuit. »

Yûji m'a répondu : « Vraiment ? »

Bien sûr, il parlait dans son sommeil.

7

Lorsque je me suis réveillé le lendemain matin, elle était déjà debout, occupée à préparer le petit-déjeuner.

« Ça va ? Comment te sens-tu ?

— J'ai encore un peu mal à la tête, mais ça va mieux qu'hier.

— N'en fais pas trop. Je vais m'occuper du petit-déjeuner.

— D'accord, mais le fait de bouger un peu comme ça me distrait de mon état... »

Je me suis lavé le visage, brossé les dents, et assis à table.

« Et côté mémoire ?

— Rien de spécial. Pareil qu'hier. »

Elle a posé une assiette de boulettes de viandes et d'œufs brouillés sur la table.

« C'est le même menu que pour les bentô...

— Pas de problème. On fait toujours comme ça. Mais tu savais donc que je prenais un bentô maison pour le déjeuner ?

— La boîte était posée sur l'égouttoir, c'est pour ça.

— Ah, je vois.

— Alors, tu manges ?

mangerai avec Yûji une fois qu'il sera
t. On fait toujours comme ça. »

C'était presque trop banal, et j'étais pris dans
l'illusion d'avoir commencé chaque journée, hier
mais aussi toutes les précédentes, comme
aujourd'hui même, en compagnie de Mio.

Elle s'est séché les mains sur un torchon et
s'est installée en face de moi. Elle portait un
sweat-shirt pois cassé orné du logo du club de
fitness où elle travaillait autrefois. C'était là
aussi sa tenue habituelle à la maison. Ses longs
cheveux étaient attachés en queue de cheval,
comme toujours. Elle avait une chevelure
abondante, qu'elle avait rassemblée haut, près
du sommet de son crâne. Là aussi, c'était ce
qu'elle avait eu pour habitude de faire, par le
passé.

« Cette coiffure... ai-je dit. Elle m'avait manqué. »

À mes mots, elle a pris un air pensif.

« Alors, tu veux dire que cela faisait un
moment que je ne m'étais pas fait de queue-de-
cheval ?

— Ah, ai-je laissé échapper, avant d'ajouter :
Non.

— Ils me gênaient pour faire la cuisine, alors
je les ai attachés, c'est tout...

— Je vois. Hmm, si tu le dis. Ça doit être ça. »

Je n'étais pas mauvais menteur, mais c'était
plutôt un problème de mémoire. J'avais complètement oublié que j'étais censé lui mentir.

Voyant mon trouble, elle a pris un air soupçonneux.

« Quelque chose ne tourne pas rond.

— Quoi donc ?

— Toi.

— Ah, ai-je laissé échapper, avant d'ajouter : Tu trouves ? Ce n'est rien... Je tourne parfaitement rond. »

Elle a poussé un soupir, comme pour dire « bon, ça ira ».

« Ici, je faisais la cuisine tous les jours, n'est-ce pas ? Pour toi, et pour Yûji. »

Elle contemplait la cuisinière maculée de graisse, l'évier décoloré par la rouille.

« Oui, en quelque sorte. »

Le mur près de la cuisinière était recouvert des vestiges de ma première (et dernière) tentative de frites. J'avais allègrement oublié que j'avais mis de l'huile à chauffer. La graisse avait fini par alimenter des flammes d'une ampleur incroyable. Paniqué, j'avais rempli un seau de l'eau qui restait dans la baignoire pour la jeter sur le feu. Inutile de dire que c'était une erreur. Il y avait eu une violente explosion, puis, par miracle, le brasier s'était éteint.

Perdu au milieu des frites carbonisées, pris de spasmes sous le coup de l'incident, j'avais manqué de perdre connaissance.

Trois mois avaient passé depuis.

« Dis... a-t-elle dit.

— Qu'y a-t-il ?

— Hier soir, quand tu me racontais ton histoire avant que je m'endorme, tu n'as pas arrêté de répéter combien j'étais sérieuse, n'est-ce pas ?

— Hmm, en effet. Tu étais sérieuse.

— Mais, là, on dirait plutôt que je suis quelqu'un d'extrêmement négligeant. La cuisine, la salle de bains, les toilettes ont tous l'air de ne pas avoir été nettoyés depuis longtemps, et

y a plein de plats instantanés dans le
rateur... »

lle m'a adressé un sourire qui semblait indiquer qu'elle était sur le point de pleurer.

« Les élèves exemplaires ne font pas toujours
des épouses exemplaires, on dirait.

— Non, ce n'est pas ça. »

Les mots étaient sortis précipitamment.

Elle m'a regardé dans les yeux, comme si elle
attendait quelque chose.

Je me suis répété.

« Je t'assure, ce n'est pas ça. »

Ses yeux se sont embrumés soudainement.

Depuis toujours, j'ai le plus grand mal à trouver les paroles convaincantes pour m'assurer
l'approbation de mes interlocuteurs. Dans des
moments pareils, je débitais toujours les premiers mots qui me sortaient de la bouche.

« Je t'assure », ai-je répété une nouvelle fois,
mais à mi-voix, comme pour moi-même. J'ai
essayé d'inventer une raison fictive, mais c'est
extraordinaire comme j'étais incapable de trouver quoi que ce soit.

« Enfin, je t'expliquerai, ai-je ajouté. Tout ça. »

Ce disant, j'ai écarté les bras pour désigner la
pièce dans son intégralité.

« Il y a une raison.

— Vraiment ?

— Hmm. »

Quand elle était là, c'était différent. La cuisine,
la salle de bains, les toilettes étaient impec-
cables, agréables à utiliser, bien entretenues. Le
réfrigérateur était toujours exclusivement rempli
de produits frais, et il n'y avait pas un seul plat
instantané dans la maison. C'est moi qui suis

responsable de cette situation. Moi, qui étai
incapable de faire quoi que ce soit sans ses
notes, il faut croire que je n'avais pas changé à
l'âge adulte. Sans elle, je n'étais bon à rien.

« Tes cheveux, a-t-elle dit avec son regard
vague. Veux-tu que je te les coupe ce soir ?

— Mes cheveux ? »

J'ai entortillé mes boucles tire-bouchonnantes
autour de mon doigt.

« À quand remonte ta dernière coupe ?

— Il y a trois mois, environ.

— Mais, tu travailles, non ?

— Oui, pourquoi ?

— Et tu n'as pas de problèmes, avec cette
tignasse incroyable ?

— On ne m'a jamais fait de remarque particulière... C'est si épouvantable que ça ?

— On dirait un lion au réveil.

— Ah oui, quand même.

— Ça doit être le paradis, ton lieu de travail... »

Elle avait vu juste.

Un saint-bernard qui tolère un lion à peine
réveillé.

Cependant, elle n'avait pas dit « Va chez le
coiffeur », mais bien « Tu veux que je te les
coupe ? ». Pour sûr, elle avait l'habitude de nous
couper les cheveux, à Yûji et à moi. Le souvenir
lui en était-il donc resté quelque part ?

« Tu me les couperais ? »

Elle a acquiescé.

« J'ai le comme le sentiment que j'en serai
capable.

— C'est que tu avais l'habitude de le faire.

– Ça ira, alors. La mémoire de la main, nme on dit. »

Mais ça n'allait pas.

J'y reviendrai.

Comme elle s'était occupée du petit-déjeuner et des bentô, j'ai pu prendre mon temps et profiter de la matinée, ce que je n'avais pas fait depuis longtemps. En buvant l'infusion qu'elle m'avait préparée (où diable avait-elle déniché le paquet ?), je lui ai raconté des anecdotes à son sujet, à mesure qu'elles me revenaient.

Tu es née un 18 janvier. Tu es donc Capricorne, signe dont tous les horoscopes te diront qu'il est prudent et persévérant.

Avant notre mariage, tu portais le patronyme d'Enokida. La maison de tes parents se trouve dans une ville à trente minutes de train vers le nord. C'est là que vivent encore ton père et ta mère, mais aussi ta petite sœur et ton petit frère.

Tu ne ressembles à aucun de tes parents proches. Si je devais me prononcer, je dirais que, depuis ta naissance, tu as toujours plutôt eu l'air d'un membre de ma famille.

À ce propos, mes parents vivent dans une ville au sud d'ici, à quinze minutes en train.

Je n'ai ni frère ni sœur. Je suis un enfant unique, dont on dit « Rien que ça, c'est déjà une maladie ».

Il n'y a pas que ça ; j'ai quantité d'autres problèmes, mais j'y reviendrai progressivement.

Au collège, tu faisais partie du club de gymnastique. Ton agrès de prédilection était le

96

cheval-d'arçons. Moi aussi, je t'ai vue à l'œuvr
(lors d'une démonstration en cours d'éducation
physique), et ta puissance de saut était impressionnante. En comparaison, les autres élèves
ressemblaient à des bébés tapant du pied.

Je t'assure.

Pourtant, tu avais un défaut : tu ne t'immobi-
lisais jamais à la réception. C'est pourquoi tes
résultats tournaient systématiquement autour
de 6,5. Tu étais acceptée par les autres membres
du groupe, mais on t'avait désignée comme sup-
pléante. Du coup, je pense que tu as fait un
choix judicieux au lycée, en passant des agrès à
la gymnastique rythmique et sportive. Puisqu'en
GRS, après les grands sauts, on peut continuer
de bouger, sans s'arrêter à la réception, pas
vrai ?

« J'ai fait de la GRS ?

— Mais oui. Dans un club très réputé. Qui a
remporté de nombreuses compétitions interscolaires.

— Incroyable.

— C'est que tu étais une athlète accomplie. Tu
n'as pas pu aller aux compétitions interscolaires,
mais tu étais très bien classée dans les rencontres
régionales.

— Je n'arrive pas à y croire.

— Ah bon ?

— Enfin, on parle bien de gymnastique
rythmique et sportive ?

— De gymnastique rythmique et sportive, oui.

— Moi ?

— Oui, toi. »

Mio s'est mise à glousser.

très étrange, comme sensation.

␣ns doute.

Et toi ? m'a demandé Mio. Tu faisais partie ␣n club ?

— Je faisais de l'athlétisme.

— Tu courais, je suppose.

— Je continue encore. Au lycée, je faisais le 800 mètres. »

Mio a laissé échapper un « Ouah » en fronçant le nez.

« Ça devait être terriblement dur.

— Aussi dur que ça puisse être, ai-je répondu, quand il s'agit de ses propres aspirations, la douleur ne semble pas si insurmontable.

— Ah bon ?

— Je t'assure. »

« Hoho, Yûji ! »

De la chambre voisine retentissait une voix d'homme, terriblement familière.

Sous le coup de la surprise, Mio s'est raidie.

« C'est son réveil, lui ai-je expliqué. Écoute, tu vas voir. »

« Regarde, je t'ai apporté une surprise... »

« Allez, regarde donc. Elle est juste là. Ouvre les yeux et regarde... »

« C'est ça, encore un petit effort. C'est là, juste là... »

« Où ça ? » pouvait-on entendre de la petite voix de Yûji.

« Juste là. C'est ça, encore un effort... »

« Oui, mais où ? »

Cette fois, sa voix était bien plus claire.

« Bien, tu es réveillé. Alors, regarde bien. Le plus beau des cadeaux. Un nouveau jour est venu. »

« Ouah, je me suis encore fait avoir... »

« Bonjour, a dit Yûji qui se frottait les yeux en émergeant de la salle de bains.

— Mais c'est que mon petit bonhomme a une tignasse encore plus incroyable que la tienne...

— Ah, ses cheveux au réveil, c'est comme ça tous les matins. Je me demande comment il dort. »

La tête de Yûji ressemblait à celle de Woodstock dans les *Peanuts*. On aurait dit un voyageur qui marchait perpétuellement contre un vent du nord. Il ne portait que son haut de pyjama et son slip à l'élastique détendu. Il avait laissé le pantalon dans son futon.

Il a posé sur nous un regard mal ajusté. Il réfléchissait à quelque chose en se grattant la tête.

Il a fermé les yeux, avant de les rouvrir lentement.

« Maman ? »

Le visage de Yûji s'est empourpré à vue d'œil tandis que les larmes lui montaient aux yeux.

« Maman. C'est bien toi ? »

Il s'est précipité vers Mio pour lui agripper le bras.

« C'est maman, elle est revenue... »

passé les bras autour de la taille, pres-
_s joues teintées de rouge contre sa poi-
_. « Maman, maman », ne cessait-il de
péter en serrant Mio de toutes ses forces.

Je me suis levé de ma chaise pour me mettre
derrière lui.

Son slip distendu était bouffant comme une
couche. Les jambes qui en sortaient étaient
pathétiquement maigres, avec leurs veines
bleues visibles par transparence au creux des
genoux.

« Yûji, ai-je dit. Comme maman est guérie,
elle nous a préparé le petit-déjeuner pour tous
les deux. Elle n'est partie nulle part, inutile d'en
rajouter. »

Les épaules de Yûji ont tressailli. Retenant son
souffle, il a réfléchi un instant. Sans doute
s'efforçait-il de se repasser les événements de la
veille dans sa petite tête.

« Maman s'est cogné la tête et a perdu la
mémoire. Tu te souviens ? »

Yûji a acquiescé tout en serrant Mio.

« Quel pleurnichard tu fais... »

Nouveau signe de tête.

« Allez, viens manger. C'est maman qui a tout
préparé. Ça a l'air délicieux ! »

Yûji s'est lentement détaché de Mio avant de
gagner sa chaise, tête baissée.

« Va te laver la figure et te brosser les dents
d'abord. »

Sans lever les yeux, il est allé dans la salle de
bains. J'ai fixé mon regard sur son dos, avant
de le ramener sur Mio.

« Je l'ai déjà dit hier, mais Yûji est un vrai
pleurnichard.

« — On dirait, en effet.

— C'est qu'il devait être tellement heureux de te voir debout pour la première fois depuis longtemps à son réveil. Après tout, tu dormais encore hier matin.

— Vraiment ? »

Pour une raison mystérieuse, elle m'a regardé d'un air dubitatif. J'ai laissé flotter un sourire forcé, avec l'air de lui demander « pourquoi tu fais cette tête ? ».

« Quelque chose ne tourne pas rond, a dit Mio.

— Quoi donc ?

— Vous deux.

— Non, ai-je dit, avant d'ajouter : pas particulièrement. On tourne parfaitement rond. »

Ma fiction atteignait déjà ses limites. Je me faisais l'effet d'un acteur de troisième ordre, pris à siffloter pour dissimuler un mensonge.

Yûji a réapparu et regagné sa chaise.

« Allez, on mange ! Bon appétit ! ai-je lancé d'une voix forte afin de couper court à cette conversation périlleuse.

— Bon appétit », a répondu Yûji.

Mio a regardé nos visages par intermittence pendant quelques instants, mais nous avons continué de manger avec application, comme si nous n'en avions pas conscience.

Elle a finalement laissé échapper un petit soupir, avant de dire :

« Faites un peu plus attention en mangeant, vous deux. Vous en mettez partout. »

Le repas fini, j'ai ôté mon pyjama et me suis habillé. Mio a eu un petit sursaut en me voyant vêtu de mon costume. Pensant qu'elle me trouvait changé, j'ai pris une pose de mannequin à la *GQ*.

« Dis donc, a dit Mio.

— Qu'y a-t-il ?

— Tu mets toujours ce costume pour aller travailler ? »

Apparemment, je m'étais quelque peu trompé. Je l'ai immédiatement compris, au seul ton de sa voix.

« Oui... pourquoi ?

— Mais c'est un costume d'hiver, non ? Il a l'air taillé dans un tissu de qualité, lourd et adapté au froid.

— Vraiment ? »

On aurait dit Yûji.

« Et puis, ce n'est pas du tout la bonne taille. Les épaules ne tombent pas comme il faut. »

Je ne savais pas.

On ne me l'avait jamais dit.

Là, soudain, comme sous le coup d'une révélation, une jeune femme solitaire s'est rappelée à mon souvenir.

Nagase-san, du bureau. Son curieux comportement.

Ah, je vois. C'était donc ce qu'elle essayait de me faire comprendre.

« J'ai dû maigrir. Beaucoup », ai-je dit en guise d'explication.

À la mort de Mio, je pouvais à peine manger quoi que ce soit. Mince de nature, j'ai fondu de plus belle, maigrissant à vue d'œil. De 62 kilos, je suis descendu à 54. À partir de là, le chiffre n'a plus changé.

Voilà la raison pour laquelle mon costume béait.

Mais je ne portais aucune attention à ce genre de détails.

Simplement, j'avais pris le premier costume qui m'était tombé sous la main, et j'avais continué de le porter.

Elle a inspecté l'intérieur du placard, où elle a trouvé un costume d'été de toile fine, qu'elle m'a tendu. Je l'ai essayé, mais celui-là aussi flottait complètement.

« C'est vraiment très bizarre... a-t-elle dit en me regardant tandis que je lui souriais d'un air stupide, vêtu de mon costume qui pendouillait aux épaules.

— Quoi donc ?

— Tu es sûr que tu habites ici ? »

Son regard s'est soudain teinté de pitié.

« Je veux bien croire être ta femme, mais est-ce que, par hasard, tu ne serais pas en train d'emprunter clandestinement l'appartement d'un étranger ? »

C'était une opinion compréhensible. En raisonnant ainsi, elle accepterait aussi l'état de négligence de l'appartement. Puisque nous n'habitions pas là.

Cela expliquerait également pourquoi les costumes n'étaient pas à la bonne taille. Puisque c'étaient là les costumes d'un autre.

« Ce n'est pas ça, ai-je dit. C'est bien notre appartement. C'est juste que, comme je te l'ai déjà dit, j'ai terriblement maigri.

— Pourquoi ?

— Oh, ce n'est qu'un de mes nombreux problèmes. Un jour, tu comprendras.

— "Un jour" ? Quand ? »

Elle a croisé les bras, l'air de dire : « Je ne céderai plus d'un pouce. »

« Ce soir, ai-je répondu. Ce soir, je te raconterai tout. Au sujet de mes problèmes divers et variés.

— Entendu. J'attendrai, alors. »

Puis Mio est allée aider Yûji à faire ses préparatifs du matin. Lui qui se boutonnait toujours tout seul se faisait aider. C'était une sorte de régression.

Bah, peu importe.

Puisqu'en les regardant ainsi, j'avais l'impression que l'appartement tout entier était revenu plus d'un an en arrière.

Avant de sortir, j'ai interpellé Mio :

« Je pense qu'il vaudrait mieux que tu ne sortes pas trop. »

Mio a acquiescé, sans avoir particulièrement l'air de prêter trop de sens à mes paroles.

« Tu as encore mauvaise mine, et tu ferais mieux de te reposer tranquillement à la maison.

— D'accord. »

Ce qui m'inquiétait, c'était plutôt le regard des autres. Même si nous menions notre vie sans vraiment fréquenter nos voisins, un nombre important d'entre eux savait tout de même qu'elle avait quitté ce monde, un an auparavant.

L'agencement de l'immeuble est un peu spécial : des six appartements, quatre sont des unepièce, tandis que les deux appartements situés le plus à l'est, au rez-de-chaussée et au premier (notre auguste demeure) sont des deux-pièces. Pour cette raison, la plupart des habitants sont soit des étudiants, soit des *salarymen* célibataires. Trois nouveaux occupants se sont installés au cours de l'année passée, et il ne reste plus que deux foyers au courant pour Mio, le *salaryman* du 101 et, juste au-dessous de chez nous, le jeune couple marié du 103. Comme ils travaillent tous dans la journée, je n'avais pas trop à craindre qu'ils rencontrent Mio si elle sortait, mais j'avais résolu de me montrer excessivement prudent.

Mio nous a regardés partir, Yûji et moi, debout dans le vestibule.

« À ce soir. »

Influencés ou non par les souvenirs, les gens se comportent selon leur habitude, je suppose. Alors qu'elle nous regardait ainsi partir, ce geste, cette voix, cette expression faciale n'avaient pas changé d'un pouce par rapport à la Mio de son vivant.

« À ce soir, Yûji... »

Elle a souri, ravalant son « kun ».

Se tournant ensuite vers moi, elle a répété « À ce soir », avant de prendre un air pensif.

« Au fait... a-t-elle dit. Je ne pense pas t'avoir encore demandé ton prénom... ? »

Ah, ai-je acquiescé, puis je lui ai dit mon nom :

« C'est Takumi.

— Takumi ?

— Oui, avec le caractère qui signifie "adroit".

— Ah, Takumi-san, donc.

— Pourtant, je suis tout sauf adroit, non ? Mon nom me nargue...

— C'est vrai... »

105

Elle a fait un petit hochement de tête, avant de sourire d'un air mutin.

« ... d'où le surnom de "Tak-kun" ?

— Exactement. »

Elle s'est redressée, comme pour signifier, « bon, c'est l'heure », en disant :

« À ce soir, Takumi. »

Même si je devais me décrire comme amoureux, je n'avais jamais ressenti une telle douleur dans la poitrine.

Comme si les larmes allaient affluer.

Car ces mots, nous les avions sans doute répétés un millier de fois. Tous les matins, elle nous avait salués de la même façon. Ces mots disaient tout de notre mariage.

« À ce soir », lui ai-je répondu, plein d'amour.

« Bonjour », « bonne nuit », « délicieux ! », « Ça va ? », « Tu as bien dormi ? », ou encore « Viens ici », c'est dans tous ces mots sans importance que réside l'amour.

Voilà ce que cela signifie, d'être un couple, pensais-je.

Mais je ne m'en étais pas encore aperçu.

8

En arrivant au bureau, la première chose que j'ai dite à Nagase-san était :

« Pardon pour le retard, j'ai dû me changer. »

J'ai passé les deux mains le long de mon corps pour attirer son attention sur mon costume léger.

« Ah, oui, je vois. »

Pour une raison qui m'échappe, Nagase-san a rougi violemment, avant d'essayer de calmer ses nerfs. Je pensais lui faire plaisir, mais elle s'agitait plutôt comme un enfant pris la main dans le sac.

« C'était pour cette raison que vous vous tracassiez, n'est-ce pas, Nagase-san ?

— Oui, oui, c'était ça. »

Son visage s'empourprait de plus en plus.

« Je vous ai causé bien du souci. »

À ces mots, elle a agité les deux mains devant sa poitrine à plusieurs reprises, comme pour dire « non, du tout », avant de s'enfuir en direction de la salle d'eau.

Quelle jeune femme vraiment unique, ai-je pensé.

J'ai accompli ma tâche avec plus d'attention que d'habitude. J'ai augmenté la quantité de mes pense-bêtes, allant même jusqu'à coucher sur le papier des choses que je ne noterais pas d'ordinaire. Le tableau s'est entièrement recouvert de ces mots adressés au moi de dans dix minutes. Parce que, dans le fond, je manquais tellement de fiabilité. Ma tête était tout entière occupée par Mio.

C'était exactement comme tomber amoureux. Ou plutôt, c'était, à la lumière de ma modeste expérience, comme tomber amoureux, à n'en pas douter.

Je vois ! me suis-je dit.

C'est ça, l'amour.

Je suis amoureux.

Je suis amoureux du fantôme de mon épouse.

Merveilleux.

Et dans le même temps, je me sentais mal assuré.

Je ne pouvais m'empêcher de penser qu'elle allait peut-être disparaître pendant mon absence. La prémonition de cette perte, combinée à mon sentiment amoureux, inondait ma poitrine de substances chimiques portant les mots « déchirant » ou « chérissable ». Domptant mon désir de courir à la maison afin de voir son visage, j'ai réussi d'une façon ou d'une autre à terminer mon travail pour la journée.

Et voilà, me suis-je dit. Ne dirait-on pas un adolescent en proie à son premier amour ?

Je suis sûr qu'il arrive que les gens s'éprennent à plusieurs reprises du même partenaire. Et que, ce faisant, ils retournent à l'adolescent boutonneux au cœur sensible qu'ils ont été.

9

Tandis que je pénétrais, à bout de souffle, dans l'appartement, en m'annonçant d'un « Me voilà », les voix de Mio et Yûji m'ont répondu « Coucou » pour former un magnifique accord à trois notes. J'ai laissé échapper un soupir de soulagement.

Fondamentalement, leurs voix à tous les deux se ressemblent beaucoup. Mais à vrai dire, ma voix et celle de Yûji se ressemblent également. La mienne et celle de Mio, en revanche, ont peu à voir.

C'est très mystérieux.

Mio était en train de couper les cheveux de Yûji.

Elle élaguait allègrement la tignasse de Yûji, qui était assis sur une chaise.

C'était une vision empreinte de nostalgie. Même la bâche étalée sur les tatamis était la même qu'autrefois.

« Tak-kun, a dit Yûji. Maman me coupe les cheveux.

— Je vois ça. »

J'ai ôté ma veste et l'ai accrochée dans le placard.

Tiens ? ai-je dit. La pièce est toute propre !

— Vraiment ? a demandé Yûji.

— C'est que ça n'a pas été facile, a déclaré Mio.

— Je t'avais pourtant dit de ne pas en faire trop. Tu n'es pas encore tout à fait rétablie.

— Je sais bien... mais j'ai fait mon épouse modèle.

— Hmm. J'imagine que ça n'a pas dû être facile.

— Ce n'était pas si terrible », a dit Mio.

J'étais heureux. Non du fait qu'elle ait rangé l'appartement, mais plutôt parce que ce genre d'action lui ressemblait bien. C'était décidément une épouse modèle. Même privée de ses souvenirs, Mio restait bien la Mio que je connaissais. Et cela me rendait extrêmement heureux.

« Hmm... Ça devrait suffire. »

Mio m'a regardé avec un sourire maladroit. J'avais quelque part un mauvais pressentiment.

« Voyons voir, ai-je dit en me rapprochant de Yûji afin de vérifier sa coupe.

— Alors ? a demandé Yûji. J'ai l'air cool ?

— C'est ça, tu es... cool... » ai-je répondu, tandis que mon visage disait tout le contraire.

Sa frange traçait une arche bancale très haut sur son front. Le côté droit avait été coupé trop court, si bien que son cuir chevelu était visible par deux fois. À l'arrière aussi, sa peau rose apparaissait à un endroit, et la nuque était coupée trop haut.

On aurait dit un petit skinhead avec un bonnet de laine posé sur le dessus du crâne.

Pour parler franchement, il avait l'air d'un crétin fini.

« La mémoire de la main, c'est bien ce que tu avais dit... ? » ai-je demandé à Mio, à quoi Yûji a laissé échapper un « Quoi ? » plein d'appréhension.

« Peut-être que c'est le genre de choses qu'on oublie, après tout ? » a répondu Mio.

Yûji a lancé un nouveau « Quoi ? ». Sa voix s'était faite un peu plus forte cette fois.

« À ton tour, maintenant... »

J'ai dû prendre un air effrayé, car elle a ajouté, décontenancée :

« Ça va aller. J'ai pris la main en coupant les cheveux de mon petit bonhomme.

— Qu'est-ce que ça veut dire ? » a répliqué ce dernier.

Ainsi, je me suis donc retrouvé assis à la place de Yûji.

Lequel, libéré, a gagné en courant la salle de bains.

« Ouah ! » a retenti sa voix, puis plus rien.

« Bon, allons-y, lui ai-je dit en guettant la salle de bains.

— Ne bouge pas, a-t-elle ordonné. Sans ça je risque de couper autre chose que des cheveux. »

À ces mots, mon cœur défaillant a senti mon corps se raidir d'un coup.

« Tu as les cheveux drôlement bouclés, dis donc.

— Petit, on m'appelait Temple-chan.

— Temple-chan ?

— Oui, à cause de Shirley Temple. Mais si, tu sais... *Petite Princesse* ?

— Ça ne me dit rien. J'ai peut-être oublié.

— Enfin, c'était une enfant star, il y a plus d'un demi-siècle. »

Elle m'a souri, comme pour dire « comment veux-tu que je m'en souvienne ? ».

Quand j'y pense, je lui avais posé la même question auparavant, et obtenu le même sourire.

(Alors, et si en 2050, je te demande si tu connais Victoire Thivisol ?)

Il va sans dire que c'est la vedette de *Ponette*. À ce moment-là, j'ai eu l'obscur sentiment que même en 2050, nous serions sans doute toujours ensemble. Bien sûr, nous serions tous les deux vieux et fatigués.

Épisode plaisant d'une époque bienheureuse.

« Voilà, j'ai fini. »

Cette fois, elle avait toute confiance en elle.

Timidement, j'ai jeté un œil dans le miroir qu'elle me tendait. Dedans, un homme jetait un œil inquiet dans ma direction. Il arborait une coiffure qui, pour être irrégulière, restait tout de même présentable. À la façon d'un Sid Vicious civilisé, bien entendu. D'ailleurs, lui aussi habite Archive, à présent.

« Certes.

— On dirait que j'ai pris le tour de main. Ça va, cette fois.

— Et moi, alors ? » a demandé Yûji.

Il avait mis son chapeau jaune de maternelle.

« Ne t'inquiète pas. Tu es super mignon. Tout le monde ne pourra que t'adorer.

— Vraiment ?

— Vraiment. Pas vrai ? »

Ainsi rejetée, Mio semblait extrêmeme.
embêtée.

« Je suis désolée, Yûji, a-t-elle dit. Mais papa
a raison. Je n'ai pas pu te rendre cool, mais tout
le monde ne pourra que t'aimer.

— Même toi ?

— Bien sûr. Mon cœur bat la chamade rien
qu'en te regardant.

— Dans ce cas, ça va. »

Yûji a retiré son chapeau. Ses cheveux
d'ambre tout aplatis ressemblaient à un bonnet
de laine, même devant.

Pourtant, il était vraiment mignon. C'est le
mystère avec les enfants. Ils emploient la magie
du retournement, transformant les défauts en
charme. Mais c'est une magie qui n'agit que sur
leurs parents.

Ayant reçu l'ordre de prendre notre bain pendant qu'on préparait le dîner, Yûji et moi nous
sommes dirigés ensemble vers la salle d'eau.

« Maman était tellement douée, avant, a
déclaré Yûji en se déshabillant.

— Douée ?

— Pour couper les cheveux.

— Ah, c'est vrai. Je suppose qu'elle a vraiment
oublié, après tout.

— Vraiment ?

— Sûrement.

— Mais elle se rappelle bien comment faire à
manger.

— Ah, c'est vrai, maintenant que tu le dis. »

C'était le cas, assurément.

Sur quel critère les souvenirs sont-ils sélec-
tionnés ? Je me demande si ses recettes de cui-

semblaient plus importantes à retenir
...s souvenirs de Yûji et de moi...

...la reviendrait à dire que notre existence
...it plus précaire que celle de l'*omurice* ou du
cream stew. Mais ce n'est pas très crédible. Il
doit sûrement y avoir une autre raison à cela.
(C'est ce que j'ai décidé de croire.)

Je lui ai posé une question en lui lavant la tête :
« Est-ce que tu es heureux que maman soit là ? »
Yûji a réfléchi un moment avant de répondre
d'une petite voix :
« Je suis pas sûr. »
Sa réponse inattendue m'a quelque peu sur-
pris.
« Pourquoi n'es-tu pas heureux ?
— Parce que... a dit Yûji en essuyant le sham-
pooing qui lui coulait sur le front. Tu sais,
maman, elle habite Archevie.
— En effet.
— Alors, elle devra bien y retourner un jour,
non ?
— Mais attends, ça, elle l'a oublié, donc... »
Yûji a secoué lentement la tête.
« Même si maman a oublié, quelqu'un va venir
la chercher, c'est sûr. C'est comme ça dans
toutes les histoires. Tout le monde doit retourner d'où il vient à la fin. »
C'est pour ça, a dit Yûji.
« Et ça, ça me donne envie de pleurer. »
Même un jeune enfant comme lui comprenait
cela. Lorsque l'on pense à un être aimé, cette
pensée se trouve immanquablement liée à un
pressentiment de séparation. Il en avait déjà fait
l'apprentissage une fois.

« Mais quand bien même, lui ai-je dit. Le fai
qu'elle soit là, maintenant, c'est une bénédiction.
C'est pourquoi nous devons chérir ce moment. »

Yûji m'a répondu d'un « Hmm », mais je ne
savais pas ce qu'il en pensait réellement.

Tenant le pommeau de douche au-dessus de
sa tête, je lui ai dit :

« Ce que je veux que tu comprennes, c'est que
maman a toujours été avec nous. Avant qu'on
ne soit séparés.

— Je sais, a répondu Yûji. Mais, tu sais,
maman, je la trouve un peu bizarre.

— Je vois. C'est pour ça qu'on doit faire plus
attention à partir de maintenant.

— D'accord.

— Bon, tout est OK. Tu peux sortir. »

Yûji a quitté la salle de bains et lancé à Mio :

« Maman, je suis sorti. Viens me sécher ! »

Eh bien, me suis-je dit. Après avoir mis un
an à apprendre comment accomplir tout seul les
tâches les plus ordinaires, voilà qu'il effectuait
un retour en arrière complet.

Lorsque je suis sorti de la salle de bains, Yûji,
vêtu d'un simple slip d'enfant trop grand, se laissait nettoyer les oreilles par Mio. Sa tête reposait
sur les genoux de sa mère, qui était assise bien
droite, et un sourire bienheureux flottait sur son
visage aux yeux clos.

« C'est assez incroyable, a dit Mio. C'est dingue, ce qu'il y a dans les oreilles de cet enfant. »

Comme elle m'a demandé si je lui avais bien
nettoyé les oreilles, j'ai réfléchi un instant, avant
de lui répondre que non.

« Je pensais qu'il s'en occupait lui-même.

un enfant de six ans, voyons. »

murmurait de temps à autre des « qu'est-
ce c'est que ça ? », ou « qu'est-ce qu'il se
se là-dedans ? », mais à un moment donné,
elle a étouffé un cri de dégoût avant de devenir
muette. L'instant d'après, un bruit sec a résonné
sur la table basse.

Elle m'a appelé :

« Takumi-san. Viens voir. »

Je les ai rejoints tout en frottant ma tête
humide avec ma serviette de bain.

« Qu'y a-t-il ? »

Comme elle montrait la table du doigt, j'ai
approché mon visage pour regarder l'objet de
plus près.

C'était quelque chose en forme de coquille
noire. Quand je l'ai pris dans ma main, la surface était dure.

« Est-ce que par hasard… ai-je demandé timidement, …c'était dans l'oreille de Yûji ? »

Mio a acquiescé en faisant une tête comme si
elle avait un goût amer dans la bouche.

« Ouah, ai-je dit en jetant la coquille au loin.

— Ouah, s'est écrié Yûji. Tak-kun, tu parles
trop fort ! Tu me fais mal aux oreilles. »

Il plaquait fermement ses petites mains sur
ses pavillons.

C'est comme ça que j'ai compris.

La raison pour laquelle il demandait toujours
« Hein ? » ou « Quoi ? ». C'était entièrement dû
à l'accumulation de je ne sais combien de
couches de cire pétrifiée. Il avait précieusement
conservé l'équivalent d'une année entière de
cérumen dans ces minuscules orifices. (Plus
généralement, il avait la manie d'enfouir tout et

116

n'importe quoi. Comme les boulons de la fabrique.)

Par la suite, une coquille identique à la première est sortie de son autre conduit auditif.

Lui-même ne semblait pas apprécier l'amélioration de son ouïe.

Pendant quelque temps, il s'est plaint en disant « Ouah, c'est quoi ? », « C'est trop bizarre », ou encore « Quel vacarme ! ».

C'est ainsi que Mio a rectifié un à un les intervalles dissonants qui s'étaient installés au cours de l'année passée. Comment interpréter le fait qu'elle, privée de ses souvenirs, et peut-être même de sa vie, se montrait bien plus compétente que moi ? Assurément, son existence doit véritablement être spéciale.

Pour Yûji et pour moi, c'était une héroïne de légende.

10

Après le dîner, nous sommes allés nous promener tous les trois.

Mio avait toujours la migraine, mais elle espérait que le vent du soir lui changerait les idées. J'hésitais un peu, mais j'ai décidé de la laisser sortir en me disant que nous n'apparaîtrions que comme des silhouettes aux yeux des passants distraits par la brume vespérale.

Nous marchions à travers un fragile paysage coloré à l'encre diluée. La lune flottait, émaciée, à la crête de la forêt. Son reflet tremblait à la surface des rizières troublées par le vent.

« Il fait frais, n'est-ce pas ? a dit Mio.

— C'est parce qu'il n'a pas arrêté de pleuvoir... »

Yûji et Mio marchaient devant, main dans la main, tandis que je les suivais, un peu en retrait. Je partageais leur désir naïf de se tenir la main, mais je ne pouvais bien entendu l'exprimer. J'enviais un peu Yûji de pouvoir accomplir le plus simplement du monde ce dont j'étais incapable.

« Alors ? a-t-elle dit. Quels sont les problèmes qui t'accablent ? Tu ne m'avais pas dit que tu m'en parlerais plus tard ?

— Aah, c'est vrai. »

Le chemin débouchait sur un canal, et nous avons tourné à gauche. On pouvait voir un passage à niveau clignoter au loin.

« Avant cela, j'aimerais te parler encore un peu de nous deux...

— D'accord. »

J'ai accéléré légèrement le pas pour arriver à sa hauteur.

« Eh bien... ai-je commencé. Nous ne sommes pas sortis ensemble au lycée.

— Parce que j'étais une élève exemplaire, binoclarde, maigrichonne et ennuyeuse ? »

J'ai souri légèrement en fixant l'horizon.

« Mais..., ai-je continué.

— Oui ?

— En fait, j'avais un faible pour les élèves exemplaires, binoclardes, maigrichonnes et ennuyeuses.

— Vraiment ? a demandé Yûji.

— Vraiment. Simplement, à cette époque, je ne pensais pas que ce genre de fille pouvait chercher l'amour.

— Elles cherchaient un partenaire ? a dit Mio.

— Oui. J'avais ignoré les signaux.

— Et moi ? a-t-elle demandé. Qu'est-ce que je pensais de toi, à l'époque ?

— La même chose. J'étais un peu excentrique, voire misanthrope selon la rumeur. Même toi, tu n'aurais pas pensé aimer un garçon comme moi.

— J'ai dit ça ?

— En effet.

— On était vraiment en retard tous les deux, hein. Pour penser des choses pareilles.

119

— Oui. De vrais trésors nationaux de l'éclosion tardive, lui ai-je répondu. À l'époque, on était vraiment à fond dans nos activités de club. Toi, tu sautais, tu tournoyais, tu jetais…

— La GRS. »

J'ai acquiescé.

« Moi, je courais en rond le long d'une ellipse de 400 mètres.

— C'était intéressant ?

— Oh oui. C'est une activité universelle. Planète ou atome, tout le monde tourne en rond.

— Ah oui, vraiment ?

— Vraiment. »

Nous avons atteint le petit passage à niveau. Le sentier longeait le canal et se poursuivait à perte de vue.

Mio regardait fixement la route enveloppée par les ténèbres.

« Tout m'apparaît flou, de loin, a-t-elle dit.

— Ah bon ?

— Je ne portais plus mes lunettes, ces derniers temps ?

— Ah, ai-je dit, avant d'ajouter : Non. »

J'avais complètement oublié ce détail. En temps normal, Mio portait des lentilles. Il lui arrivait de remettre ses lunettes pour se relaxer, mais elle avait très rarement recours à ses seuls yeux. Sa vue était d'à peine quatre ou cinq dixièmes.

Je lui ai menti.

« Tu ne portais plus tes lunettes. Après tout, tu n'avais plus besoin de lire des tableaux noirs, et tu ne conduisais pas non plus.

« — Mais je vois très mal. Je dois bien avoir des lunettes ?

— Elles sont sans doute quelque part. On les cherchera plus tard.

— Je veux bien. »

Apparemment, les lentilles ne sont pas fournies sur Archive.

« Enfin bref, ai-je repris. Notre éclosion était si tardive, nous étions pires que des enfants de cinq ans, et nous avons passé notre scolarité sans jamais connaître l'amour.

— Pire que moi ? a demandé Yûji.

— Je me demande... lui ai-je répondu. Eh, peut-être bien.

— C'est quoi, une éclosion tardive ?

— C'est quand une personne met du temps à grandir.

— Ouah, s'est exclamé Yûji. T'étais un vrai bébé ! »

Nous nous sommes regardés, Mio et moi, et avons échangé un petit rire. Puis je lui ai dit :

« Ce qui a changé notre relation, c'est un petit incident qui s'est produit le jour de notre cérémonie de remise de diplômes. »

Le jour de la remise des diplômes.

Tous les deux, nous n'avions pas conscience que nous n'aurions plus l'occasion de nous revoir, mais nous n'étions pas censés nous revoir de toute façon. Ainsi vont généralement les séparations.

Et pourtant, les circonstances en ont voulu autrement.

Une fois la cérémonie terminée, une fois retournés dans notre salle de classe et la dernière *homeroom* de notre vie de lycéens passée, une fois que tout fut vraiment fini.

Alors que je fourrais une à une les bricoles de mon bureau (des coupons de réduction de fast-food, des figurines de boîtes de biscuits, des bâtonnets d'eskimo, ce genre de choses) dans un sac de sport, tu m'as interpellé depuis le siège voisin :

« Aio-kun.

— Qu'est-ce qu'il y a, Enokida-san ?

— J'aimerais que tu m'écrives quelque chose là-dedans. »

À ces mots, tu m'as tendu un carnet de signatures. Le jour de la remise des diplômes, nombreuses étaient les signatures qui s'échangeaient entre élèves. Pourtant, la seule demande qu'on m'ait faite est venue de toi. Qui d'autre aurait pu me le demander, en dehors de toi ?

« D'accord, donne. »

J'ai attrapé ton carnet, ai réfléchi un peu, puis j'y ai inscrit une courte phrase.

Heureux d'avoir été ton voisin, c'était sympa. Merci.

C'étaient là mes remerciements pour toutes les notes que tu m'avais prêtées, ainsi que ma réponse à toutes ces substances chimiques que tu m'avais envoyées sans que j'en aie conscience.

Voici ce que tu as répondu à ces mots :

« Moi aussi, j'ai trouvé ça sympa d'être ta voisine. Merci. »

Et puis on s'est séparés.

« Allez, salut.

— Oui, salut. »

J'ai quitté la pièce, le sac de sport contenant mon diplôme et mes bricoles à la main.

« Mais alors, il ne s'est rien passé ?
— Pas tout à fait. »

Un mois environ après la remise des diplômes est arrivée une courte lettre, de ta main.

Je détiens ton porte-mine. Qu'est-ce qu'on fait ?

« C'était donc ça ! » me suis-je écrié.

J'avais passé un mois à le chercher. Au moment de te rendre ton carnet, j'y avais inséré mon propre crayon, comme je venais de m'en rendre compte. Pas étonnant que mes recherches soient restées infructueuses.

S'il s'était agi d'un porte-mine ordinaire, je n'aurais pas fait tant d'histoires ; mais ce n'était pas un porte-mine ordinaire. C'était mon tout premier porte-mine, que j'avais reçu en cadeau pour mes dix ans. Je dois ajouter que c'était ma tante préférée, la sœur cadette de ma mère, qui me l'avait offert.

Je pense que c'est pareil pour tout le monde ; on chérit tous le premier objet de ce type jamais reçu en cadeau. Le premier livre, la première montre, le premier CD. Pour ma part, je conservais précieusement tous ces objets.

Je t'ai donc répondu sur-le-champ.

J'y tiens beaucoup. Je viendrai le récupérer.

Comme il me semblait malvenu d'abuser de ton temps et de ton argent en te demandant de me l'envoyer, j'avais résolu de venir le chercher. Ce faisant, j'ai reçu ta réponse.

Je suis sur le campus pour le moment. Je te recontacte quand je serai de retour à la maison.

C'est ainsi que le retour de mon porte-mine
ıt finalement reporté aux vacances d'été.

Il n'y avait pas d'urgence, puisque je savais où
il était, et puis, je nourrissais le modeste souhait
de voir à quoi tu ressemblais, maintenant que
tu étudiais à l'université.

Comme nous poursuivions tous les deux nos
activités de club en plus d'aller à l'université,
nos emplois du temps étaient remplis par les tour-
nois et les stages d'entraînement, aussi les
vacances d'été touchaient-elles à leur fin lorsque
nous nous sommes revus, le 9 septembre. (Je
m'en souviens très bien car c'était le *Labor Day*.
J'avais mémorisé tous les jours fériés améri-
cains.)

Nous étions convenus de nous retrouver
dans le hall d'une gare à mi-chemin entre nos
deux maisons. Je suis arrivé sur les lieux cinq
minutes en avance, mais tu étais déjà sur
place.

En te trouvant là, debout au milieu de la
foule, j'ai eu un sentiment mystérieux, indéfinis-
sable. Jusque-là, je ne savais même pas qu'un
tel sentiment existait. Faut-il le dire ? C'était de
l'amour.

Moi, le garçon à l'éclosion tardive, je venais
finalement d'entrer dans le monde des adultes.

Banzaï !

J'ai tout d'abord pensé que c'était de la nostalgie. Et, pour sûr, tout ceci était très nostalgique.

Après ces trois années passées dans un même
cercle de deux mètres de diamètre, tu avais
laissé une part de toi en moi, dans un endroit

incroyablement intime. Très proche de celui où résidaient mon père, ma mère, ou encore ma tante. Je savais bien, en mon for intérieur, que cette part de toi qui m'habitait se réjouissait énormément de te retrouver.

Sans compter que tu m'avais préparé une petite surprise. Mon cœur en battait la chamade, j'en flottais dans les airs.

« Une surprise ?
— Une surprise.
— Quel genre de surprise ?
— Tu verras. »

Tu avais les cheveux longs jusqu'aux épaules. Ces cheveux que tu avais si courts en entrant au lycée, et qui l'étaient encore au moment de notre diplôme. Voilà qu'ils étaient mi-longs, à présent. La frange s'arrêtait à mi-sourcils, et les mèches de chaque côté étaient attachées à l'arrière par une barrette. À cette époque, tu avais délaissé tes lunettes au profit de lentilles de contact, mais j'avais déjà pu le voir au lycée. C'est pourquoi je pense que, tout bien considéré, ce sont ces longs cheveux qui m'ont le plus agréablement surpris.

Tu en devenais incroyablement féminine. Tu n'étais plus l'esprit d'une cuiller à café, mais bien une jeune fille de notre âge, à la peau tiède et à l'odeur agréable.

Tu ne proclamais plus : *Je n'en ai strictement rien à faire, des garçons, alors fichez-moi la paix.* Tu donnais plutôt l'impression de dire, *Regarde-moi, et tombe amoureux de moi.*

Comme j'étais un garçon un peu simple d'esprit et prompt à gober tout ce qu'on lui mettait sous les yeux, j'ai immédiatement accepté les signaux que tu émettais.

Entendu. Je vais tomber amoureux de toi.

J'ai remarqué que tu arborais un sourire crispé. Tu étais nerveuse aussi, je pense. Car c'était la première fois que nous avions chacun rendez-vous avec une personne du sexe opposé.

« Bonjour, ça fait longtemps, as-tu dit.

— Oui, ça fait un bail. »

Là, nous ne savions plus quoi nous dire. Après avoir réfléchi un moment, je me suis lancé :

« Enokida-san, votre voisin est-il Aio-kun ? »

Tu as compris tout de suite.

« Vous faites erreur, as-tu dit, avant d'ajouter : C'est Teddy Bear. »

Nous avons gloussé tous les deux.

Un jour, au lycée, quelqu'un avait installé un ours en peluche à ma place alors que je séchais les cours. C'était là la conversation que tu avais eue avec l'enseignante qui avait fait face à mon remplaçant.

Au même moment, j'étais seul dans la salle du club d'athlétisme, occupé à lire *Samedi soir, dimanche matin* de Sillitoe.

L'enseignante avait fini par te dire :

« C'est bien ce que je me disais. Il est trop velu. »

L'histoire ne s'arrête pas là.

Le lendemain, c'était Mickey qui occupait ma chaise. L'enseignante t'a posé la même question, à laquelle tu as donné la même réponse.

À quoi elle a fait remarquer :

« C'est bien ce que je me disais. Il a les oreilles trop grandes. »

126

Cette fois-là aussi, j'étais dans la salle du club d'athlétisme, poursuivant ma lecture de la veille.

La plaisanterie a fait son petit effet. Sans que je le sache, différentes mascottes en peluche se sont succédé sur mon siège. Parmi elles, Winnie l'ourson, Snoopy, Donald Duck. L'un était trop gros, le deuxième trop blanc, le troisième avait la bouche trop grande pour être moi.

Ce qui était génial, c'était que tu répondais toujours sérieusement, et que l'enseignante trouvait toujours un commentaire différent, ce qui était tout aussi génial.

Plus tard, lorsque tu m'as rapporté toute cette histoire, j'étais un peu déçu. J'aurais voulu être là, pour entendre votre dialogue à toutes les deux.

Enfin bref, c'était un épisode qui nous inspirait de la nostalgie.

Une fois détendus, nous nous sommes finalement rappelé la raison de notre rendez-vous.

« Donc, as-tu dit.

— Mon porte-mine, c'est ça ?

— Oui, ton porte-mine. »

Tu as tiré une enveloppe verte de ton sac en toile à motif d'hibiscus.

« Voici, as-tu lancé en me la tendant. Je m'en étais aperçue tout de suite, mais tu avais déjà disparu.

— Hmm.

— Après ça, j'étais accaparée par les préparatifs de mon déménagement, je n'ai pas pu te contacter. Je suis désolée.

— Du tout. C'est moi qui n'ai pas fait attention, ai-je dit. Et puis, maintenant je l'ai de nouveau dans les mains. »

J'ai sorti le crayon de l'enveloppe pour le regarder à la lumière.

« C'était un cadeau d'anniversaire de ma tante. Le premier porte-mine qu'on m'ait acheté.

— Tu avais quel âge ?

— Dix ans. Elle l'a acheté à la tour de la garde Kichijôji.

— Ah, quand tu étais à Tôkyô.

— C'est ça. »

J'habitais le quartier de Chôfu, à Tôkyô, avant de venir vivre dans cette ville. À la même époque, tu vivais à Minami Azabu, dans le port de Tôkyô. Qui sait, peut-être avons-nous contemplé les mêmes nuages au même moment.

Nous étions si proches.

« Merci beaucoup.

— Je t'en prie. »

Problème : tout était réglé à présent. Il n'y avait aucun obstacle à ce que nous nous séparions à cet instant.

Mais nous n'avions pas envie de nous dire au revoir.

Debout au milieu de la foule affairée, nous attendions chacun que l'autre prenne la parole. J'espérais que tu trouves quelque chose à dire, et j'ai remarqué que tu semblais en faire de même.

Dans ces conditions, tout serait bientôt fini.

J'ai essayé de lancer un « Alors... ». Tu m'as regardé d'un air avide. Puisant mon courage dans ce regard, j'ai continué :

« Tu n'as pas soif ? Il fait un peu chaud. »

J'avais vraiment très soif.

Tu as hoché deux fois la tête en signe d'acquiescement.

« Dans ce cas, allons boire quelque chose de frais. »

Puis nous nous sommes dirigés vers le lieu du premier rendez-vous de notre histoire.

Une fois arrivés au passage à niveau, nous avons décidé de rebrousser chemin.

« Et ta migraine ? ai-je demandé à Mio.

— Hmm, ça va un peu mieux, on dirait.

— Tant mieux. »

Yûji disait avoir sommeil, alors je l'ai pris sur mon dos. Très vite, son habituelle respiration chargée de dormeur a commencé à se faire entendre.

Je me demande s'il souffre d'un empyème.

« Il est mignon quand il dort, a dit Mio.

— Il te ressemble. Surtout quand il dort.

— Peut-être. Quelque part ça me rend nostalgique.

— Ça te rappelle ta propre enfance ?

— Sans doute. Non pas que je me souvienne de quoi que ce soit, mais c'est un peu la même sensation.

— Toujours aucun souvenir ?

— Rien du tout. Mais la sensation revient petit à petit que je suis ta femme, et que je suis la maman de Yûji.

— Ça ne te fait pas de la peine ? De n'en garder aucun souvenir ?

— C'est agaçant, mais il n'y a pas de quoi s'énerver. Question de patience, je suppose.

Tant mieux, alors. »

Mio a donné un coup de pied dans un caillou à bord du chemin. C'était une vieille manie chez elle. Même en l'absence de souvenirs, ce genre d'actes inconscients n'avait pas changé.

« Dis-moi, a commencé Mio. J'étais heureuse, non ?

— Tu crois ?

— Oui. Après tout, j'ai épousé la première personne que j'aie jamais aimée, on a eu un adorable petit garçon, et puis, même maintenant, on mène une vie heureuse ensemble.

— C'est vrai... »

Étais-tu heureuse ?

Je me suis posé la question en mon for intérieur.

Tu as épousé un homme accablé de problèmes, pas une fois tu n'as voyagé, et tu as fini ta courte existence dans cette petite ville. Peut-on quand même parler de bonheur ?

« Et toi ? m'a demandé Mio. Tu es heureux ? Est-ce que je te rends heureux ?

— Je suis heureux, ai-je répondu. Très heureux. »

J'étais un pingouin qui volait dans le ciel.

Je m'étais élevé à sa suite jusqu'à des altitudes inespérées.

Je m'étais rapproché des étoiles.

Et de là-haut, les choses sales et laides qui encombrent la Terre, toutes les choses qui troublent le cœur ressemblaient à une magnifique tapisserie.

130

C'était le bonheur.

Puis elle a disparu, et je suis redevenu un pingouin ordinaire. La tristesse m'a rendu visite, mais il me restait les souvenirs du ciel, ainsi qu'un petit garçon qui ressemblait beaucoup à cette femme aux ailes qui fendaient l'air.

Autrement dit, j'étais devenu un pingouin raisonnablement heureux, parfois pris de tristesse.

« Tu veux bien me dire comment ça continue ? » a demandé Mio.

Allongés tous les trois côte à côte, nous contemplions le plafond de l'appartement baigné d'une lumière orange.

« D'accord, ai-je répondu. Ce soir aussi, je te raconterai notre histoire jusqu'à ce que tu t'endormes. »

Mais, en vérité, j'avais presque tout oublié des événements de cette période. Comme Mio me les avait rapportés à maintes reprises par la suite, j'avais fini par les prendre pour de vrais souvenirs.

C'est une histoire très étrange.

Ces événements que j'avais oubliés et que Mio m'avait racontés, c'était à présent mon tour de les raconter à Mio qui les avait oubliés. On aurait dit un jeu de téléphone arabe à deux. À travers les incessantes répétitions, ces souvenirs avaient pris un tour bien plus beau et dramatique que la réalité, pour devenir peut-être pareils à des rêves. Enfin, c'est le cas de la plupart des souvenirs.

Mais revenons-en au récit de notre premier rendez-vous.

sommes entrés dans un café situé juste
.ce de la gare.

, ai commandé un Canada Dry, et toi un café
rappé.

Après trois années passées l'un à côté de
l'autre, ou l'un derrière l'autre, c'était la première fois que nous étions assis face à face.

C'était aussi la première fois que j'observais
ton visage attentivement. Tu avais d'immenses
yeux aux paupières lisses. Le nez haut, les lèvres
fines. Et une double incisive. C'était un visage
qui faisait une impression très différente suivant
la personne qui le regardait.

Quant à moi, je sentais que c'était le type de
visage de jeune femme que j'avais toujours aimé
depuis mon enfance.

Parce que c'est comme ça, l'amour.

« Tes cheveux ont poussé, ai-je dit.

— En effet. Toutes les filles du groupe de gymnastique ont la même coiffure. »

Un chignon haut. Comme tu me l'as expliqué.

« Ça te donne une image différente, quelque
part.

— Tu trouves ?

— Hmm, tu as l'air adulte. »

Tu m'as dit que moi aussi.

« Tu donnes l'impression d'être plus adulte. »

Tu m'as demandé si je n'avais pas grandi.

« Un peu, oui.

— Tu mesures combien ?

— Un mètre soixante-dix-sept, environ. Mais
en tant que coureur de demi-fond, j'aimerais
grandir encore beaucoup plus.

— Tu fais plus grand.

— C'est à cause de mes chaussures. »

Au lycée, nous ne nous voyions jamais hors de la classe. Du coup, nous étions toujours en chaussons. Ceux que je portais le plus souvent étaient en fait une paire de chaussures de bowling abandonnées dans la salle de cours.

C'était un article à l'histoire trouble, dont on disait qu'un ancien élève l'avait par le passé emprunté sans autorisation à un club de bowling du coin. L'avant et le talon étaient bleu indigo, les côtés blancs. Le nombre 61 y était inscrit en pourpre. Trois années durant, j'ai porté ces chaussures à l'intérieur de l'école.

Ce jour-là, c'était la première fois que nous nous voyions avec des souliers et des sandales à talons. Quand j'y pense, c'était aussi la première fois que je te voyais dans une robe abricot, et la première fois que je te voyais porter du rouge à lèvres. C'était également la première fois que je te voyais arborer une chevelure abondante, qui ondulait à chacun de tes hochements de tête, et la première fois que je ressentais cette agitation nerveuse enserrer mon cœur rien qu'en discutant avec toi.

Il m'est tellement difficile de trouver quoi que ce soit dont ce n'était là la première fois ; c'était la première fois pour tout.

Nous avons passé cinq heures dans ce café.
Je n'arrive pas à le croire.
De quoi avons-nous bien pu parler ?

Nous espérions tout apprendre l'un de l'autre.
Comme nous étions tous les deux sérieux, nous avions le sentiment que c'était en apprenant à connaître l'autre que l'on arrivait à l'amour.

ne peut se tenir la main sans rien savoir de
.re. Comment prendre une fille dans ses bras
.iand on ne connaît pas le nom de ses parents ?
Quelle pointure, quelle taille de vêtements on
porte, à combien de mois on a commencé à marcher, combien de temps on peut tenir sous l'eau
sans respirer… ce n'est qu'après avoir appris
toutes ces choses que l'amour peut enfin passer
au stade supérieur.

Il est important de faire connaissance. Ce
désir de connaître l'autre revient à vouloir lui
montrer sa vraie nature. C'est peut-être une
façon unique de voir les choses, mais nous avons
choisi ce chemin qui nous rapprochait lentement.

D'où l'importance de la conversation. Nous
avons discuté cinq heures durant, mais nous n'en
étions même pas à nous toucher le petit doigt.
Combien de mots allions-nous échanger avant
de nous marier ? (Nous avions dix-huit ans, tu
étais mon premier rendez-vous officiel, et pourtant je pensais déjà sérieusement au mariage. Je
pensais que c'était ce que cela voulait dire, de
sortir ensemble.)

J'avais vaguement conscience qu'il nous fau-
drait du temps avant de pouvoir nous hasarder
à un baiser. Je n'étais pas pressé, j'avais le sentiment que, puisque nous allions passer notre vie
ensemble, nous avions encore tout le temps. Il
s'était écoulé trois ans au moins entre notre premier échange verbal et notre premier rendez-vous.
Sûrement que dans trois ans, nous échangerions
un baiser.

C'était ce que je pensais.

En cinq heures de conversation, nous nous sommes un peu rapprochés de ce baiser.

(Au moment de nous embrasser, ta double incisive ne risquerait-elle pas de nous gêner ?)

Voilà le genre de choses auxquelles je me suis mis à penser en regardant tes lèvres.

Et puis le soir est tombé, et il a été temps de rentrer.

Si l'on y repense maintenant, c'était là notre premier rendez-vous ; autrement dit, on pourrait dire que c'était le premier pas vers la suite, même si, à ce moment-là, je n'avais pas encore suffisamment confiance en moi pour penser en ces termes. Plus que le mariage ou qu'un baiser, de toute façon, dans l'immédiat, ma tâche était d'obtenir un deuxième rendez-vous.

Nous sommes sortis du café et avons acheté des tickets dans le hall de la gare. Nous n'avions pas encore parlé de nous revoir. Nous avons composté nos tickets, rejoint le quai. Mon train arrivait dans cinq minutes, le tien deux minutes plus tard. Et pourtant, je ne faisais que déblatérer sur la façon dont les manchots empereurs élevaient leurs poussins.

(Je ne sais absolument plus comment on en était arrivés à ce sujet, mais j'en savais énormément sur les manchots empereurs. Je t'en parlerai plus tard.)

Tu semblais écouter avec grand intérêt, mais en mon for intérieur je m'impatientais. Mon train allait arriver. Et puis mon train est arrivé.

« C'est... ai-je dit. Je vais attendre ton train avec toi. Je prendrai le suivant. »

Puis ton train est arrivé très vite.

...n... as-tu dit. Je peux prendre le suivant,
..c... »

Tu devais être rentrée pour six heures. (Imposer un couvre-feu de dix-huit heures à des étudiantes ! On ne pourrait jamais aller voir des feux d'artifice ensemble...)

Les trains se suivaient à sept minutes d'intervalle, mais celui-ci s'est écoulé en un clin d'œil. Je pense qu'il en aurait été de même avec un intervalle de trente jours. La plupart des décisions se prennent dans les tout derniers instants.

Ton train est arrivé, les portes se sont ouvertes, les passagers sur le quai s'y sont engouffrés. Toi aussi, tu les as suivis. Tu t'es retournée et tu m'as souri. C'est là, alors, que je me suis lancé :

« Euh... quand est-ce qu'on se revoit ? »

La sonnerie du départ a retenti, et tu as répondu :

« Je dois repartir bientôt. »

Tu as haussé la voix afin de couvrir le bruit de la sonnerie.

« Je t'écrirai. »

Puis les portes se sont refermées.

« Ah, d'accord », ai-je dit au train en partance.

Mais ça ne fait rien : ça ne s'arrêtera pas là. Les fins et les commencements sont aussi différents que les sorties et les entrées. Lorsqu'on est à l'entrée, on est sûr qu'il y a quelque chose de l'autre côté. Quelque chose de merveilleux, à n'en pas douter.

C'était ce que je pensais à ce moment-là.

Ta lettre est arrivée une semaine après. Le lendemain, je rédigeais et envoyais une réponse.

À nouveau, une semaine plus tard environ, une lettre de toi m'est parvenue. Cette fois, j'ai pris trois jours avant de t'expédier ma réponse.

C'était là notre rythme.

Nul doute qu'une personne plus passionnée aurait été agacée, mais pour nous c'était un tempo confortable. Cet amour entre deux personnes sérieuses, banales, à l'éclosion tardive, s'épanouissait avec tempérance, dans la quiétude et la lenteur. Peut-être était-ce un luxe, dans ce monde agité.

La résidence où tu habitais à Setagaya ne disposait que d'un seul téléphone. Il y avait aussi une cabine publique juste à l'extérieur, mais vous n'étiez pas autorisées à sortir l'utiliser, passé le couvre-feu. Quant aux téléphones portables, ils n'étaient pas encore si répandus, et quand bien même, sans doute ne les aurions-nous pas utilisés.

Nous détestions le téléphone.

Le téléphone était malpoli, arrogant, sans-gêne. Et le plus souvent, il nous mettait en contact avec des personnes malpolies, arrogantes, sans-gêne. Des vendeurs, des candidats à la pêche aux voix, des amis pas si proches qui transmettaient les requêtes de tiers. Ce genre de personnes semblait avoir de grandes affinités avec le téléphone.

D'ailleurs, les premiers mots jamais prononcés au téléphone étaient d'une profonde arrogance.

« Watson, venez ici tout de suite ! » (Graham Bell, bien sûr.)

Voilà qui en disait long sur l'avenir du téléphone.

En tout cas, nous préférions communiquer par lettres plutôt que par téléphone.

Tu avais une écriture magnifique. Un tracé charmant qui rappelait la bonne élève, grande et mince, dont la voix tremblait légèrement sur la fin des mots.

Du coup, j'étais un peu embarrassé. Mon écriture était incroyablement mauvaise.

Si tu m'accordes une rapide justification, c'était dû aux *a priori* bornés de mes parents. Enfant, j'avais un passé de gaucher contrarié. Mes parents, qui croyaient à des statistiques non vérifiées selon lesquelles les gauchers mouraient plus tôt, me bandaient la main gauche. Je me suis trouvé forcé d'utiliser ma main droite, pourtant malhabile, pour tenir mes baguettes, lancer des balles ou tracer des caractères. Ma main gauche, entravée et déformée, a perdu sa capacité à fonctionner normalement. Maintenant, j'écris aussi mal, quelle que soit la main que j'utilise.

Je pense que tu dois avoir conservé mes lettres parmi tes possessions, mais je n'aurais pas très envie que tu les regardes.

« Est-ce qu'on a aussi les lettres que je t'ai envoyées ? a demandé Mio.

— Bien sûr. Je les ai ramenées de chez moi quand on s'est mariés.

— J'aimerais les lire. Je me demande ce que j'ai bien pu t'écrire...

— Des choses banales, sur tes entraînements au club, tes rêves d'avenir...

— Mes rêves d'avenir ?

— Oui.

— Je suppose qu'après mes études, j'ai trouvé un travail ?

— En effet. Comme tu as fait une université en deux ans, tu as commencé à travailler à vingt ans.

— Qu'est-ce que j'ai choisi, comme profession ? Celle de mes rêves ?

— Tout juste. Tu es devenue celle que tu voulais devenir.

— Je me demande ce que c'était. Je veux savoir ! Tu veux bien me le dire ?

— Tu es devenue prof de danse dans un club de fitness.

— De danse ?

— Oui. D'aérobic.

— Moi ?

— Oui, toi.

— Je n'arrive pas à le croire.

— Eh si. Mais tu sais, ai-je continué, comme tu as pratiqué la gymnastique tout au long du lycée et de l'université, quand on y réfléchit, ce n'était pas un monde si éloigné que ça.

— Aaah, je vois. C'est parce que je faisais de la gymnastique.

— Hmm. En tout cas, tu adorais bouger. Et puis, c'était ton rêve depuis toujours, d'enseigner. C'est pour ça que tu as choisi une profession qui te permettait de transmettre aux gens les joies de la danse.

— Je pense tout de même que j'aurais préféré devenir prof...

— Mais il t'aurait fallu un certificat d'aptitude. Au final, tu as opté pour la danse.

— Alors, j'ai continué d'enseigner jusqu'à notre mariage ?

— Jusqu'à ta grossesse, en fait. À vrai dire, comme tu as mis du temps avant de t'en rendre compte, tu as continué à travailler même enceinte. »

Mio a laissé échapper un soupir pensif.

« Ma vie… a-t-elle dit en regardant le plafond baigné d'orange. Quelque part…

— Hmm ?

— Quelque part, j'ai le sentiment d'en avoir trop fait. Je sais que j'étais une élève sérieuse, docile.

— Hmm.

— Alors, la vie que j'imagine à partir de cette élève sérieuse aurait dû être plus discrète, moins compliquée…

— Ah, peut-être.

— N'est-ce pas ? Sans qu'il soit question d'aimer ou de détester, j'aurais choisi un travail pour sa stabilité, ou pour la réputation de l'entreprise, je serais devenue une employée de bureau discrète, et j'aurais vécu en me satisfaisant de cette existence qui aurait été la mienne. C'est comme ça que je me l'imagine.

— Hmm.

— Et puis, je n'aurais pas fait un mariage d'amour ; j'aurais fait un mariage arrangé par la famille ou avec l'aide d'une tante, en me satisfaisant de cette existence qui aurait été la mienne. Je pense que si tu m'avais raconté une histoire de ce genre comme étant la mienne, j'aurais acquiescé, à coup sûr.

— Je sais. Après tout, tu disais souvent ce genre de choses. "J'ai fait du mieux que j'ai pu." Tu étais de ceux qui prennent systématiquement le chemin le plus sûr, mais lorsque tu t'apercevais que tu étais sur un pont étroit sans garde-fou, tu fermais les yeux et tu te mettais à courir de toutes tes forces.

— Vraiment ?

— Hmm. Tu étais incroyable.

— Incroyable ?

— D'avoir épousé un type comme moi. C'était une décision incroyable.

— Mais...

— Écoute, je t'ai dit que je te raconterais ça plus tard. Tous les problèmes qui m'accablent.

— Oui.

— Si l'on prend tout cela en compte, la vie que tu as choisie n'a jamais été banale ni sans problème.

— Vraiment ?

— Je t'assure.

— Alors, tu veux bien m'en parler ?

— On continuera demain.

— Tu plaisantes !

— Je suis sérieux.

— Tu m'as fait patienter jusque-là ?

— Hmm. Parce que si je commence, ça sera trop long.

— Mais...

— Si je ne dors pas rapidement, je ne pourrai pas travailler convenablement demain. C'est pour ça.

— Il n'est que dix heures et demie.

— C'est déjà trop tard pour moi.

— Sérieux ?

— Hmm. Alors, bonne nuit.

— Bonne nuit. »

« Sérieux, tu vas dormir ?

— Sérieux.

— Mais...
— Bonne nuit. »

« Bonne nuit. »

« Vraiment ? »

« Hein ?
— C'est Yûji, il parle en dormant. Ne t'en fais pas. Bonne nuit.
— Bonne nuit. »

« Vraiment ? »

11

De retour du travail sur mon vélo lancé à toute allure, j'ai aperçu le professeur Nombre et Pooh devant moi. Je me suis arrêté à leurs côtés pour les interpeller :

« Professeur ! »

Nombre a scruté le vide un instant avant de me regarder avec un « Ooh ».

(Ce genre de blanc était également ma spécialité. « Où étais-tu donc passé ? » comme avait l'habitude de me le demander Mio.)

« On rentre du travail ?

— En effet.

— Le petit Yûji va bien ?

— Très bien, merci. Et vous ?

— Oh, on fait aller. Quand on arrive à mon âge, il y a toujours quelque chose. Quand la douleur ressentie est de cinq sur une échelle de dix, c'est qu'on va bien.

— Alors, aujourd'hui, vous êtes à cinq ?

— Dans ces eaux-là. »

Pooh levait les yeux vers moi avec un « ~ ? ». Je lui ai dit « Bon chien » et lui ai gratté le ventre du pied.

« Et ce roman, ça avance ? m'a demandé Nombre.

— Non, je l'ai mis de côté pour l'instant. »

Tiens ? Et pourquoi donc ? a eu l'air de demander Nombre.

J'ai senti une impulsion monter rapidement en moi.

Une impulsion qui disait : *Est-ce que je lui dis tout ?*

Est-ce que je lui raconte pour Mio ?

Pouvais-je lui faire confiance ?

« Mio, ai-je dit pour commencer.

— ~ ? » a dit Pooh.

Nombre m'a regardé en faisant la même tête.

« Elle... ?

— Voilà.

— Voilà ?

— Si je vous disais qu'elle est revenue, qu'est-ce vous en penseriez ? »

Nombre a laissé échapper un « Aah » d'un air convaincu.

« C'est votre roman, c'est ça ? a-t-il dit. C'est la situation de départ ? »

J'ai fait un signe de tête ambigu avant de poursuivre :

« C'est ce qu'elle a dit avant de mourir. Qu'elle reviendrait avec la saison des pluies. Pour voir comment on s'en sort, tous les deux. »

Nombre écoutait sans un mot.

« Et elle est vraiment revenue. Elle était à la vieille usine en ruines, de l'autre côté de la forêt. »

Le visage de Nombre prenait un air quelque peu sceptique.

« Alors, nous l'avons ramenée à la maison, mais elle avait perdu la mémoire. Elle ne sait plus qui elle est, ni qu'elle a quitté ce monde il y a un an.

— C'est la trame de votre roman ?

— Non, c'est la réalité. Elle m'attend à la maison, en ce moment même.

— Mio ?

— Oui, Mio.

— Autrement dit...

— Son fantôme, ai-je répondu avant qu'il puisse le faire.

— Ce n'est pas la trame de votre roman ?

— Non. »

Nombre a détaché son regard du mien pour se tourner vers Pooh à ses pieds. Pooh a levé les yeux vers lui. Ils semblaient débattre entre eux pour savoir s'ils devaient croire mon histoire.

J'ai décidé d'attendre jusqu'à ce qu'ils soient arrivés à une conclusion.

Mio aimait bien le professeur.

Lorsque nous sommes venus vivre ensemble dans cette ville, Nombre était la première personne avec qui nous avons réellement discuté. Nous l'avons rencontré dans le parc n° 17, un soir en rentrant de faire les courses pour le dîner. C'était il y a sept ans.

Nombre a toujours eu l'apparence d'un vieillard. (Comme mon chef, au bureau.)

Pooh, qui était beaucoup plus petit, avait l'air d'un jeune homme prudent et taciturne. À cette époque, déjà, il ne pouvait dire que « ~ ? ».

Depuis, nous avons continué de les retrouver, plusieurs fois par semaine, au parc n° 17, pour des conversations ni trop longues ni trop brèves, entretenant ainsi une amitié ni trop intense ni trop superficielle. En tant que couple, nous n'étions guère doués pour les contacts humains, aussi ces modestes échanges avec le professeur constituaient-ils notre seule activité sociale. Nombre chérissait Mio comme sa petite-fille, et elle le lui rendait bien.

C'est pourquoi...

C'est pourquoi j'aurais aimé les faire se rencontrer une nouvelle fois avant la fin de la saison des pluies. Tous les deux, avant qu'elle ne reparte pour Archive.

Mio avait sans doute tout oublié du professeur, mais peut-être que, si elle le rencontrait, quelque chose passerait entre eux. Pour cela, je devais m'assurer que Nombre comprenait bien la réalité des faits. Si je les faisais se rencontrer soudainement, le cœur du vieux professeur pourrait bien s'emballer avant de s'éteindre.

« Mais... a dit Nombre. Mio... de quoi a-t-elle l'air ? »

Il faisait une drôle de tête, comme s'il se demandait quelle expression adopter. Peut-être cherchait-il une formulation élégante pour demander si elle avait des jambes.

« Comme d'habitude, l'ai-je assuré. Elle est exactement la même qu'avant. Son apparence physique, son caractère, sa voix et son odeur... Il ne lui manque que les souvenirs.

— Vraiment ? »

Il semblait quelque peu soulagé.

« Vous voulez la voir ? »

Il m'a répondu par de petits hochements de tête. Il n'y avait pas grande différence avec son tremblement perpétuel, et pourtant j'étais sûr qu'il s'agissait d'un signe d'acquiescement.

« Dans ce cas... À demain, au parc numéro 17.

— À l'heure habituelle ?

— Oui. Je l'amènerai avec moi.

— Parfait. Je serai au même endroit que toujours, sur le banc.

— Entendu. »

J'ai alors dit au revoir à Nombre et à Pooh, puis j'ai repris le chemin de la maison à vélo.

12

Est-il convenable d'éprouver du désir pour le fantôme de sa femme ?

C'est aussi un problème de relativité. En d'autres termes, si j'en suis venu à de tels sentiments, c'était à cause de son état. Par son état, j'entends le fait que bien qu'étant un fantôme, elle avait un corps sain et terriblement attirant. Qui, à l'instar de ces fameuses substances chimiques, nous envoyait des messages silencieux, à nous les hommes.

Ohé, regardez. Je suis en pleine maturité. Je pourrais porter vos enfants, quand vous voulez.

Ainsi parlaient sa poitrine rebondie, sa taille fine. *Faites-nous confiance !* disaient ses hanches sublimes.

Mais c'était un fantôme.

Les fantômes n'enfantent pas.

Dans ce cas, pourquoi est-elle si attirante ?

Je pouvais voir Mio sortir de la douche et sécher Yûji tandis que je me servais un verre d'eau et le vidais.

Notre appartement dispose d'une zone sanitaire à côté de l'évier, où nous avons l'habitude de nous déshabiller. Il y avait un store en vinyle, mais il n'était pas baissé. C'est pourquoi je voyais bien leurs silhouettes, de là où je me trouvais.

Elle était sans défense, entièrement dénudée, occupée à sécher Yûji.

J'ai contemplé ce corps que je n'avais pas vu depuis si longtemps. Dans mes souvenirs, elle était mince, mais ses seins, pourtant petits, remuaient tandis qu'elle se penchait. Et son dos de prof de danse était bien développé. *Fais-moi confiance !* disait-il.

Des souvenirs heureux me sont revenus. C'étaient des souvenirs pleins de tendresse, de chaleur.

La gorge nouée, j'ai ingurgité l'eau que j'avais dans la bouche.

Mio a levé la tête et m'a regardé.

Bien que n'étant pas particulièrement troublée, elle a lentement remonté la serviette pour recouvrir son corps. Comme elle me regardait fixement tout du long, j'ai souri timidement avant de m'éloigner.

Plus tard, elle m'a dit :
« Attends, pas tout de suite.
— Hmm ?
— Je ne suis pas encore prête, intérieurement. J'ai la conviction que je suis bien ta femme, mais ça...
— Aah, *ça* ?
— Oui, *ça*.
— Du tout, tu n'as pas à t'inquiéter. Tes désirs sont des ordres. Si tu ne le souhaites pas, moi non plus.
— Tu es sûr ?
— Sûr.

— Mais… a-t-elle repris. Tout à l'heure, quand tu m'as vue nue, tes yeux semblaient dire que tu en avais envie ?

— Ah, désolé. Je ne faisais que répondre à un souvenir.

— Un souvenir ?

— Un souvenir d'autrefois… Un souvenir tendre, plein de chaleur. »

La première moitié était un mensonge, la seconde la vérité.

« Vraiment ? »

À son regard, elle semblait rêver.

« Nous deux, on… »

Elle a bégayé un peu, avant de poursuivre rapidement :

« C'était bien ?

— Ah, ça…

— Oui ?

— Ça… »

Cet hiver-là, nous nous sommes revus le premier lundi du nouvel an.

C'était notre deuxième rendez-vous.

« Cela faisait plus de trois mois qu'on s'était vus, c'est bien ça ? » a dit Mio de l'autre côté de la table.

Yûji suivait un cours d'italien télévisé avec le plus grand sérieux. Il faut dire qu'il adorait la jeune femme qui y jouait les guides.

« Oui, mais on s'était échangé plein de lettres, ai-je dit. C'était un peu comme si nous échangions constamment des mots afin de franchir une porte, si tu veux. Alors, ce jour-là, j'ai eu l'impression que la porte s'ouvrait d'un coup. Je sentais en permanence ta présence à mes côtés.

— *Facciamo meta meta !* s'est écrié Yûji.

— Pardon ?

— "On fait moitié-moitié."

— Ah, je vois. »

Cette fois encore, nous nous sommes retrouvés dans le hall de la gare.

Comme tu étais déjà là en dépit de mes cinq minutes d'avance lors de notre premier rendez-vous, cette fois je suis venu quinze minutes plus tôt. Après m'être assuré que tu n'étais nulle part, j'ai sorti un livre de poche de mon sac Franck Shorter et me suis mis à lire. *Les Sirènes de Titan*, de Vonnegut (à l'époque, il gardait encore son Jr.). C'était la troisième fois que je le lisais. La scène finale m'avait fait pleurer à chacune de mes précédentes lectures. Et cette fois encore, comme on pouvait s'y attendre, les larmes montaient. Je pleurais pour Malachi Constant.

« Aio-kun ? »

J'ai levé le nez, tu étais là.

« Tu pleures ? m'as-tu demandé.

— Hmm, je pleure.

— Qu'est-ce qu'il y a de si triste ? »

Je t'ai montré mon exemplaire des *Sirènes de Titan*. La couverture représentait les ossements d'un chien attaché par un collier.

« C'est ça qui te rend triste ? »

J'ai acquiescé.

Après ça, pendant je ne sais combien de temps, tu étais persuadée que ce roman évoquait la mort d'un chien bien-aimé.

J'ai consulté ma montre : on était encore à dix minutes de l'heure convenue. Nous nous sommes dirigés vers notre café habituel.

« Maintenant que j'y pense… as-tu dit. Tu as toujours un livre avec toi. Que ce soit sur ton temps libre, ou pendant l'étude…

— C'est vrai.

— Moi aussi, j'aime lire. Mais je n'aime que les histoires du genre *Sherlock Holmes* ou *Arsène Lupin*.

— Je sais.

— Ah bon ? »

À vrai dire, je t'avais plus observée que tu ne le croyais.

« Ce pull en mohair… Il te va bien. »

Tu m'as dit *merci*.

Une fois dans le café, nous avons commandé. J'ai sorti un paquet de mon sac et l'ai posé sur la table.

« C'est bientôt ton anniversaire… »

Alors, j'ai poussé le paquet vers toi.

« Cadeau, pour ton anniversaire. »

Tu as eu l'air incroyablement heureuse. Tu nous as regardés, le paquet et moi, l'un après l'autre, avant de proclamer ton bonheur.

« C'est la première fois que je reçois un cadeau de la part d'un garçon, comme ça. Merci. »

Ouvre donc, t'ai-je dit.

Le papier venait de l'emballage d'un paquet de confiseries que mon père avait reçu en présent de fin d'année. Un parfum de vanille s'est répandu à l'ouverture.

« Pour moi ? as-tu demandé.

— Pour toi, Enokida-san. »

C'était un croquis, de format A4, dans un cadre en plastique bon marché. Ta silhouette, de dos, tracée à la plume et à l'encre noire. Je ne sais pourquoi, j'avais essayé de me remémorer quelque chose, et tout ce qui m'était venu à l'esprit, c'était ton dos. Pour sûr, je devais être heureux que tu te sois laissé pousser les cheveux.

Comme tu le vois, j'ai une tignasse incroyablement bouclée, alors j'ai toujours été fasciné par les belles chevelures. J'imagine que ça aussi, c'est une forme de fétichisme, même si elle semble bien plus justifiée, d'un point de vue biologique, qu'une attirance pour les mules à talons aiguilles.

« Cela me fait tellement plaisir... J'en prendrai grand soin. »

Quand j'y repense maintenant, ton existence, à toi qu'un cadeau aussi bon marché avait rendue sincèrement heureuse, m'était précieuse. Cela n'avait pas dû me coûter plus de mille yens en tout. Les étudiants qui se consacraient sérieusement à leurs concours étaient souvent incroyablement pauvres. Aujourd'hui, je doute qu'une écolière puisse être aussi comblée par un tel présent.

Tu m'as dit que j'étais doué pour le dessin.

« Je voulais faire les beaux-arts.

— Pourquoi tu n'y es pas allé ?

— À cause de ma vue... Elle n'est pas très bonne. À tel point que j'ai du mal à distinguer la couleur des feux rouges.

— Je ne savais pas.

— Moi non plus. Je pensais plus ou moins que tout le monde percevait le monde de la même façon que moi.

— Vraiment ?

— Hmm. Alors un de mes profs m'a dit de laisser tomber. De devenir un salarié ordinaire. De cette façon, je n'aurais pas de problèmes. »

Tu as dit que c'était dommage. Que mon dessin ressemblait pourtant à une photographie.

À cette époque déjà tu savais, par tes paroles banales, me redonner modestement confiance en moi. Et le plus important, c'est que tu ne t'en rendais pas compte toi-même.

Ces mots que tu débitais sans en avoir conscience, savais-tu seulement combien ils me rendaient fier ?

Tu m'as dit avoir un cadeau, toi aussi.

Même si Noël et mon anniversaire étaient déjà passés.

Un cache-oreilles en tricot.

« Tu dois avoir froid quand tu cours, non ? Alors voilà. »

Je t'ai dit merci. Que ça me faisait plaisir.

Vraiment plaisir.

C'est pour ça...

Même maintenant, j'en prends grand soin.

De ce cache-oreilles.

C'est le premier présent que j'ai reçu de toi.

« Ce jour-là aussi, on a parlé cinq heures durant, comme il fallait s'y attendre.

— Et comme ça, rien que par les paroles échangées, on s'est rapprochés ?

— Sûrement.

— Vraiment ?

— La preuve : ce jour-là, on s'est tenu la main.

— Incroyable !

— N'est-ce pas ?

— On s'est donnés à fond. C'est génial.

— En fait, pas tellement… »

Quand je t'ai vue souffler sur tes mains pour les réchauffer en attendant le train, je t'ai demandé :

« Tu as froid ?

— Oui. J'ai oublié mes gants. Et je n'ai pas de poches. »

Effectivement, ni ton pull mohair ni ta jupe longue à carreaux ne disposaient de poches. Je savais que tu portais plusieurs couches de vêtements sous ton pull, mais par-dessus tu n'avais ni veste ni manteau.

« Je te prête mes poches, si tu veux. »

Tu t'es mise à côté de moi et tu as regardé mon visage, puis tu as baissé les yeux avant de souffler de nouveau sur tes doigts. Quelques secondes se sont égrenées en silence tandis que tu hésitais, puis tu as dit :

« Bien, si tu me permets. »

Tu as alors glissé ta main gauche dans la poche de mon caban. Comme ma main droite s'y trouvait déjà, nos doigts se sont touchés, bien entendu. Ta main était vraiment glacée. Petite et fine, elle semblait complètement perdue. Sans y réfléchir, j'ai saisi ta main gauche à l'intérieur de ma poche. Comme un minuscule animal effrayé, tes doigts ont eu un mouvement de surprise, puis ils ont perdu lentement de leur force.

« Comme ça, comme un carnivore engloutit un animal qui aurait pénétré dans son antre.

— Oui, il y a de ça. Je me suis fait croquer.

— Quel festin ! »

Ta main gauche réchauffée, nous avons échangé nos positions, et c'est ta main droite qui y a eu droit.

Bienvenue dans la poche gauche.

Comme c'était la deuxième fois, nous étions plus détendus. La première fois, ta main gauche avait rencontré ma main droite. Et voilà que ta main droite faisait connaissance avec ma main gauche, mais il n'y avait pas grande différence. On savait à quoi s'attendre.

« Je n'avais pas d'idée derrière la tête.

— Je vois ça.

— Vraiment ?

— Oui. »

Mio a esquissé un sourire un peu crispé, puis elle s'est tournée vers moi, la main tendue.

« Ta main. »

J'ai tendu ma main droite, effleurant le bout de ses doigts.

« Comme ça ?

— Comme ça. »

Elle a serré ma main doucement.

« Elle est chaude.

— Vraiment ?

— Comme quand on avait dix-huit ans... J'apprends à te connaître petit à petit, de cette façon. »

Elle m'a dit *je t'aime*.

Sans raison (enfin, si, pour un tas de raisons), mon rythme cardiaque s'est emballé.

« Il doit sans doute te rester quelques souvenirs de m'avoir aimé. »

C'est pour ça, m'a-t-elle dit.

« C'est pour ça que je peux tenir ta main, de cette façon. »

Elle a baissé les yeux, l'air un peu honteux.

« C'est parce que je peux me montrer aussi audacieuse que je sais que je suis bien ta femme. Parce que je sais qu'on s'est aimés, qu'on s'est mariés, qu'on s'est souvent tenu la main de cette façon, qu'on s'est embrassés. »

N'est-ce pas ?

« Attends encore un peu, tu veux ? Je ne te demanderai pas d'attendre trois ans. Trois jours seulement, et on se tient la main. Demain, déjà, on se connaîtra beaucoup mieux.

— Je ne suis pas pressé, ai-je dit. Ça me va, si c'est ce que tu souhaites.

— Ce que je souhaite, c'est retrouver une vie normale, le plus vite possible. Agir comme ta femme, comme la mère de Yûji... je veux tout faire comme il faut.

— Tu en fais déjà beaucoup.

— Alors je veux en faire plus. Me comporter comme si de rien n'était. »

Elle m'a demandé *tu savais ?*

« Quoi donc ?

— Que mes doigts tremblaient, liés comme ça.

— On dirait bien.

— Parce que... a-t-elle dit. C'est comme la première fois de ma vie que j'ai tenu la main d'un homme. Je suis très nerveuse. »

En vérité, pour moi aussi, c'était un moment spécial. Même si cela avait été moins long pour moi que pour Mio, il y avait eu un vide d'un an. C'était la première fois en un an que je tenais la main de ma femme, et moi non plus, je ne pouvais me calmer.

Tout bien considéré, il peut sembler comique pour un couple, après six ans de vie commune, de rougir au simple fait de se donner la main. Pourtant, nous étions très sérieux. Et il est vrai que les personnes sérieuses peuvent sembler parfois comiques.

« *Facciamo poco poco !* s'est soudain exclamé Yûji.

Surpris, nous nous sommes lâché la main.

« Qu'est-ce qu'il raconte, cette fois ?

— "On fait chacun un petit peu."

— Ah, bon. »

Mio était peut-être sérieuse, mais c'était aussi une jeune femme pragmatique. Plutôt que de se tracasser au sujet de ses souvenirs perdus, elle pesait la vérité des faits, déterminée à accomplir ses devoirs, ce qui était typique de sa façon de penser. S'occuper de Yûji, faire la cuisine, entre autres choses.

Parfait.

Sauf que…

C'était un fantôme.

Un jour, elle finirait par quitter ce monde à nouveau. La voir se donner tout ce mal, sans le savoir, me faisait de la peine.

Elle ne le sait pas.

Qu'elle est morte il y a un an. Et que, avant longtemps, elle devrait nous quitter une seconde fois.

13

Clic !

Mes yeux se sont ouverts.

L'horloge à côté de mon oreiller indiquait 2 h 35. Il faisait un peu froid. Par la fenêtre, on entendait la pluie tomber goutte à goutte.

Comme toujours, mon premier réflexe a été de jeter un œil à Yûji.

Il dormait profondément en respirant par le nez. Il dressait les bras en signe de célébration – *banzaï !* –, aussi les ai-je remis sous la couverture.

Pas de Mio.

Je suis sorti de mon futon et me suis dirigé vers la cuisine. Elle était dans le petit espace à côté de l'évier. Assise sur une chaise, elle regardait distraitement ses phalanges.

En remarquant ma présence, elle a levé la tête.

« Pardon. Je t'ai réveillé ?

— Non, ce n'est pas ça. C'est ce sale type... Il éteint tous mes rêves. »

J'ai voulu imiter le bruit de l'interrupteur d'un claquement de doigts, mais cela n'a donné qu'un frottement. J'ai dû me résoudre à prononcer le « clic » avec ma bouche.

« Quand c'est comme ça, je suis incapable de me rendormir tout de suite. »

Je lui ai demandé *et toi ?*, et elle s'est tournée lentement vers moi.

« Je n'en sais rien. Je pensais à plein de choses, je n'ai pas pu fermer l'œil. »

Je vois.

« Il fait froid ici, non ? »

À mon insistance, nous sommes passés dans la cuisine, puis dans la pièce voisine. J'ai tapé un coussin avant de le lui tendre.

« Tiens.

— Merci. »

Nous nous sommes assis côte à côte, chacun sur un gros coussin. Baignés dans la douce lumière qui filtrait de la cuisine et de la chambre à coucher.

« Il n'y a pas d'urgence », ai-je dit. Inconsciemment, j'ai baissé la voix. « *Poco poco*.

— *Poco poco ?*

— Oui, petit à petit. Allons-y petit à petit.

— Tu as raison. »

Le bruissement de la pluie et le « ploc, ploc, ploc » des grosses gouttes se mélangeaient. Le son semblait discipliné, mesuré, continu. Tremblant de tout son petit être, Mio a laissé échapper un long soupir, comme si elle était gelée.

« Tu as froid ?

— Un peu. »

J'ai étendu mon bras doucement pour lui entourer les épaules.

Je sentais son corps tendre, à travers son pyjama en coton.

« Merci, a dit Mio. Tu me tiens chaud.

— Ces mots... Ça me rend nostalgique.

— Vraiment ?

— Hmm. Tu m'as dit la même chose, autrefois.

— Avec ton bras autour de mes épaules ?

— Tout juste. Par une nuit très spéciale.

— Tu m'as déjà parlé de ce moment-là ?

— Pas encore, non.

— Raconte. J'ai envie de savoir.

— D'accord, je vais te le raconter. »

C'était par une nuit, l'été de nos vingt ans.

Nous nous revoyions pour la première fois depuis plus d'un an.

« Tu veux dire que...

— Hmm, jusque-là on était toujours chacun de son côté. On s'était séparés l'été précédent.

— Nous deux ?

— Hmm.

— Alors que je sortais sérieusement avec toi ?

— Tout juste.

— Pas possible.

— C'est pourtant vrai.

— Que s'est-il passé ?

— Je l'ai déjà dit. J'étais accablé de problèmes.

— Oui, tu m'as dit que tu m'en parlerais plus tard, mais tu ne l'as pas encore fait.

— Je vais te le raconter maintenant. C'est là que tout a commencé. »

Le début fut calme, comparé au sérieux des choses à venir.

Une fièvre qui refusait de tomber. Pas un rhume, non, mais une température de 37,5, en continu.

Je me sentais bien, en réalité. Même hors saison, mon temps pour le 800 mètres excédait mon record personnel. Mon corps était plus en forme que jamais, et ma conscience était on ne peut plus claire.

À l'époque, je ne prenais pas mes repas régulièrement. Même sans manger, je semblais m'abreuver d'une inextinguible énergie tirée du soleil et de la lune. Je n'éprouvais pas le besoin de dormir non plus, et le repos m'apportait plus de peine que de confort. En tout cas, je m'agitais sans cesse, comme lancé par une collision.

Je m'entraînais plus de six heures par jour.

Sans manger, sans dormir, dès le Nouvel An, j'ai couru une distance équivalant à celle qui nous séparait des îles Mariannes.

Après quoi...

Je suis tombé en miettes. C'était une issue inévitable.

C'était le deuxième samedi d'avril.

On m'a transporté à l'hôpital, pris de spasmes dus à des problèmes respiratoires. En bref, c'était la première fois que mon interrupteur s'enclenchait, que mon ampoule s'illuminait et que ma jauge de niveaux s'affolait.

La première fois qu'un événement se produit, comme on ne peut se reposer sur une expérience antérieure, tout semble exagéré. J'étais persuadé que j'allais mourir, et j'ai commencé à craindre que cette pensée ne me tue.

On m'a tout d'abord diagnostiqué une pneumonie, ou une bronchite, pour laquelle on m'a donné des médicaments en quantités plus importantes que mes repas d'alors, et je suis sorti. Mais trois jours plus tard, j'ai refait une crise, et on a dû me ramener d'urgence à l'hôpital. Ce n'est que bien plus tard que j'ai compris que c'était dû à des erreurs dans le plan qui avait servi à ma fabrication, et aux excédents de substances chimiques sécrétées en conséquence dans mon cerveau.

J'ai fait le tour de plusieurs hôpitaux, et mon portefeuille s'est rempli au point que j'aurais pu faire des tours de magie avec toutes mes cartes d'admission. Dans chaque hôpital, j'ai décrit mes symptômes ; dans chaque hôpital, on m'a fait des prises de sang ; dans chaque hôpital, les médecins ont hoché la tête.

À cette époque, la conclusion à laquelle j'ai pu arriver moi-même était qu'il n'y avait pas de conclusion ferme possible. Le nom de ma maladie restait un mystère, mais ce qui était sûr, c'était que je souffrais de toutes sortes d'anomalies.

Les nuits blanches se sont succédé. Je voulais dormir pour échapper à la douleur, mais le fait que je n'y parvenais pas ne faisait qu'ajouter à cette douleur.

Sortir de ma chambre constituait une tâche difficile. Dans les premiers temps, je ne pouvais m'éloigner à plus de 200 mètres (les visites à l'hôpital n'ont commencé que bien plus tard).

D'une distance de 100 mètres, ma maison me faisait l'effet du Soleil vu depuis Pluton. À 200 mètres, mon cœur se serrait comme celui d'un astronaute envoyé hors du système solaire, incapable de se contenir. En définitive, telle une balle lancée en l'air, je n'avais plus qu'à rassembler mon énergie et regagner mon point d'origine.

Évidemment, je n'allais plus à l'université, et mes perspectives d'avenir s'assombrissaient.

On s'était promis un troisième rendez-vous, mais je n'ai pas pu m'y rendre. Je t'ai simplement informée que les circonstances étaient malheureuses, et nous sommes immédiatement convenus d'une nouvelle rencontre à l'été suivant.

« Tu ne m'as pas dit que tu avais des problèmes de santé ?

— Hmm, je me demande pourquoi... Parce que ce n'était pas une maladie courante, sans doute. C'était difficile à dire.

— Tu aurais dû me le dire.

— T'en parler honnêtement...

— Oui.

— À l'époque, je songeais à faire une croix sur toi.

— Vraiment ?

— Hmm. Plutôt qu'un futur sombre, je pensais n'avoir aucun avenir. Ou alors, si j'en avais un, je m'imaginais dépendant de mes parents, occupé à faire pousser des tomates dans le potager familial, quelque chose comme ça.

— Mais...

— C'est ce que je pensais sincèrement à ce moment-là. Je savais que quelque chose de terrible allait m'arriver. Quelque chose avait changé, de façon irrémédiable. »

C'est pour ça.

« Je ne pouvais pas t'impliquer dans cette vie qui était la mienne. On n'avait fait que se tenir la main. Tu pouvais encore te rétracter. »

J'ai parlé à Mio de tous les problèmes qui m'accablent encore maintenant.

J'ai une mémoire catastrophique.

Ma mémoire à court terme pose particulièrement problème. Il semblerait que ce soit dû à une anomalie dans cette partie de ma tête qu'on appelle l'hippocampe. En parlant d'hippocampe, cela veut-il dire que chaque humain a un minuscule cheval de mer dans la tête ? Bah, peu importe.

À cause de cela, il y a un tout un tas de choses que je ne peux faire. Ces choses ordinaires que font les gens ordinaires – elles me sont tout sauf ordinaires.

Sortir de la maison, par exemple. Moi qui ne pouvais au début m'éloigner à plus de 200 mètres, je me suis efforcé d'augmenter cette distance. Après avoir commencé à prendre des médicaments relativement efficaces contre ma maladie, j'ai fini par pouvoir aller assez loin, même si ma limite reste à un rayon de 100 km.

Cela dit, je n'ai pas besoin d'aller aussi loin.

Je ne peux pas prendre le train, ni monter dans un bus. Encore moins embarquer à bord d'un avion, d'un sous-marin ou d'une navette spatiale. Je ne peux même pas faire le Star Tours à Disneyland. Je ne peux entrer dans les immeubles de plus de vingt étages, ni descendre en sous-sol. Et je ne peux mettre le pied dans un cinéma, un théâtre, ni une salle de concerts.

Je me fais énormément de souci, et je ressens beaucoup plus d'angoisse que nécessaire dans toutes sortes de situations. De mon point de vue, toutes ces personnes qui habitent ce monde dangereux et mènent leur vie comme si de rien n'était doivent avoir un problème quelque part.

Non seulement je ne m'inquiète pas des risques de suffocation si j'arrête de respirer, mais oublier de respirer est même le cadet de mes soucis.

Se balader partout sans faire attention, persuadé de constituer soi-même l'exception dans les statistiques qui démontrent pourtant que des centaines de personnes sont tuées chaque jour dans accidents de la circulation, est un comportement suicidaire. Lâcher la main de son enfant dans la rue est une négligence impardonnable.

Mais si je puis me permettre, je ne suis pas un de ces ivrognes qui craignent que l'immeuble s'effondre sans leur soutien.

« Ah bon ?
— Oui... Non ?
— Vraiment ?
— Tu ne crois pas ? »

Ça ne fait rien. Certes, j'admets que j'ai tendance à exagérer. C'est là toute la force de ces substances chimiques.

Quoi qu'il en soit, je fais ma vie, encombré de tous ces problèmes.

J'ai continué à fréquenter l'université en dépit de tout, avant de finalement démissionner juste avant mon passage en troisième année. Même si le pouvoir des médicaments avait permis, dans un premier temps, d'élargir le champ de mes activités, je savais que ce n'était là qu'une accalmie temporaire. La résistance augmente immédiatement lorsque l'on prend un remède, et celui-ci perd en efficacité. Il faut alors recourir à de nouvelles molécules ; pour ma part, je me suis arrêté en cours de route. Ces substances chimiques que j'ingérais, étrangères à mon corps, pesaient lourdement sur mes organes chargés de les décomposer et de les filtrer. Mes organes ne sont apparemment pas de première qualité, et ils se faisaient entendre.

L'été est arrivé en un clin d'œil.

À cette époque, je me déplaçais sur un scooter de 125 cm^3. À vrai dire, j'avais obtenu le permis deux-roues à l'âge de dix-sept ans. C'est ainsi que je suis venu te retrouver devant la gare de ta ville.

À l'époque, j'étais violemment partagé entre la conviction qu'il me fallait te tenir à distance et le besoin profond de te voir. Le jeune homme que j'étais hésitait à te dire la vérité, et tu as dû te sentir perplexe face à mes paroles et à mes actes.

Tu t'es installée sur le siège passager de mon scooter et nous avons rejoint le stade le plus proche. Comme c'était la première fois que tu montais à l'arrière d'un deux-roues, tu t'agrippais très fort à moi. Lorsque nous sommes arrivés au stade, mon dos et ta poitrine ruisselaient de sueur. Nous avons échangé des banalités au sujet de ta poitrine, mais je ne me souviens pas très bien de ce que je ressentais sur le moment. Sans doute pas grand-chose.

Nous nous sommes assis côte à côte sur les gradins.

Un an auparavant, sur la piste de ce même stade, j'avais battu un nouveau record lors d'un meeting réputé. Dans tout le pays, il n'y avait pas plus de cent personnes capables de courir aussi vite que moi, et j'avais pour objectif de réduire ce nombre à une dizaine dans un délai de deux ans.

Et maintenant, le simple fait de marcher cinq minutes me met à bout de souffle.

Merveilleux.

Je me suis comporté de façon brusque avec toi. Je n'étais pas le genre de personne à jouer la comédie au point de me montrer froid. Plutôt, je mettais du temps à te répondre, je parlais à voix plus basse que d'ordinaire, j'évitais ton regard. C'était tout ce dont j'étais capable.

Malgré tout, tu as vite remarqué mon changement de comportement. Mais tu n'étais pas le genre de personne à exiger des explications. Toi aussi, tu t'es vite trouvée à court de mots, et nous avons fini par baisser la tête, penauds.

Te tenir à distance.

Si c'était possible, je souhaitais que tu deviennes toi aussi capable de te séparer de moi. En tombant amoureuse de quelqu'un d'autre, par exemple. De cette façon, tu aurais sans doute pu finir par m'oublier rapidement.

Ça, cela aurait été bien.

Je pourrais vivre tout seul.

Non, en vérité, je semblais incapable de vivre seul. Je coulerais des jours paisibles, avec mon père et ma mère pour s'occuper de moi.

Et puis, de temps en temps, je repenserais à toi, en me demandant ce que tu devenais. Ainsi, je laisserais les années s'écouler, debout dans le jardin, à regarder pousser mes tomates.

Voilà ce que je m'imaginais.

C'est pourquoi tout devait finir ce jour-là.

J'ai décidé de faire semblant de m'ennuyer terriblement en ta compagnie. Je soupirais bruyamment, je faisais mine de regarder ma montre à la sauvette en essayant de voir si tu t'en apercevais. Par moments, lorsque tu paraissais essayer de relancer la conversation, je feignais de ne pouvoir m'y intéresser.

« Il y a une fille vraiment spéciale dans ma résidence.
— Et ?
— Hmm. »
Là, tu te mettais à bafouiller. Ma voix semblait forcée.
« Quel genre de fille ?
— Ben... Elle dit que son rêve, c'est de devenir astronaute.
— Eh...
— Alors... »
Nouvelle hésitation.
« Alors ?
— Tous les soirs, elle se brosse les dents pendant plus d'une heure.
— Pourquoi ?
— Parce que, d'après elle, on ne peut pas devenir astronaute si on a des caries.
— C'est dingue. »

Ce genre de conversation.
Après quoi, le silence, les soupirs, la montre.
Quel salaud.
Cette comédie s'est reproduite plusieurs fois, jusqu'à ce que tu finisses par te taire complètement. Nous sommes restés un long moment

comme ça, assis sur les gradins de béton, sans rien dire.

Nous étions dans l'ombre projetée par le stade. Des enfants faisaient le tour du bâtiment à vélo.

Je savais que tu contenais tes larmes. Tête baissée, pressant tes lèvres d'où dépassait ta double incisive, tu te retenais.

J'ai laissé échapper un nouveau soupir. Moi-même, je ne pensais pas pouvoir en arriver là. Et pourtant je l'ai fait.

« On rentre ? » t'ai-je demandé.

Tu as acquiescé, la tête toujours baissée.

Il ne s'était même pas passé une heure. Tu es montée à l'arrière de mon scooter, comme à l'aller, et nous avons regagné la gare.

Tu n'as pas dit un mot.

En arrivant à la gare, je t'ai demandé :

« Tu veux que je te raccompagne jusque chez toi ?

— Pas la peine, as-tu répondu. C'est juste à côté.

— Je vois. »

Si j'étais parti à ce moment-là, cela aurait été parfait. Mais j'étais incapable de m'en aller. Je t'aimais, après tout. Je voulais être avec toi. Alors même que je me montrais si brutal, si désagréable, je priais pour que tes sentiments ne changent pas.

J'étais un être paradoxal. Ces sentiments contradictoires tiraient ma personnalité à hue et à dia. Parce que je t'aimais, j'essayais de te repousser, et à cause de cela je te voulais à mes côtés.

Nous nous tenions là, côte à côte sur le trottoir, devant la gare, sans parler ni bouger.

« Quand est-ce qu'on se revoit ? »

Tu devais te sentir anxieuse.

« Je sais pas, t'ai-je répondu. Je suis occupé. Par plein de trucs.

— Ah bon ?

— Hmm. »

J'ai détaché mon regard du tien pour le plonger dans le ciel d'été, désespérément bleu.

« Je t'écrirai », as-tu dit en prenant ton courage à deux mains.

Les lettres étaient le cœur de notre monde, à tous les deux. Si l'on pouvait rejeter tout ce qui s'était passé, nos affinités se déliteraient, et tu n'aurais plus personne vers qui te tourner.

C'était à moi, assurément, qu'il revenait de tout rejeter. Je n'étais pas la bonne personne pour toi. Il te fallait quelqu'un d'autre que moi, quelqu'un de gentil, de fort, de sain.

Et pourtant...

« J'attendrai, ai-je dit. J'attendrai. »

Qu'aurais-je bien pu dire d'autre ?

« Je n'avais rien compris, hein ? »

Mio tremblait de tout son corps, mon bras toujours autour de ses épaules.

« Je n'avais rien remarqué non plus.

— C'était justement ce que j'espérais.

— Tu aurais dû me le dire. J'aurais sûrement...

— Tu étais une fille sérieuse, l'ai-je interrompue. Avec ton sens des responsabilités, tu étais le genre de personne qui se serait liée à quelqu'un pour toute la vie.

— Ce n'est pas...

— Je sais. Il n'y a pas que ça. Même si je t'avais expliqué tous mes problèmes, tu n'aurais pas cessé de m'aimer.

— Je t'aurais toujours aimé.

— Hmm. Mais tu sais, à cette époque, je pensais que ce n'était pas juste de t'impliquer dans la vie de quelqu'un aussi perdu que moi. Même si tu m'aimais, tu n'aurais pas été heureuse.

— C'est faux. Si on s'aimait tant tous les deux, et que cela devait durer toujours, comment aurions-nous pu ne pas être heureux ?

— Tu as raison... mais à cette époque, j'étais incapable de raisonner de cette façon. Je pensais que le bonheur devait être quelque chose qu'on pouvait voir avec les yeux.

— C'est... »

Triste, a dit Mio.

« Le bonheur n'est pas quantifiable, ni mesurable.

— Hmm. »

Même moi, je le sais, à présent.

Après ces six années passées à partager ta vie. À présent que ces jours étaient perdus.

« Je pensais pouvoir sortir de ta vie sans un mot. Sans faire d'histoire. Discrètement, doucement. Comme une flaque d'eau au soleil. Disparaître doucement. C'était mon intention. »

Nous avons continué d'échanger des lettres. Tu me décrivais le spectacle de ton quotidien banal, immuable, et je te répondais. Je me suis mis à laisser passer plus de temps entre nos missives. D'une semaine, je suis passé à dix jours, puis à quinze.

Petit à petit, je disparaissais.

Comme dirait Yûji...

Poco poco.

L'hiver venu, tu es rentrée chez tes parents, mais j'ai trouvé des prétextes pour t'éviter. Pourtant, je passais mes midis allongé sur mon lit, à ne penser qu'à toi. Je relisais tes lettres, encore et encore, laissant le souvenir de ton visage émerger de ton écriture.

À cette époque, ma condition s'était aggravée. J'avais déjà visité nombre d'hôpitaux, mais sans trouver un seul médecin qui se pense capable de me ramener à mon état normal.

Quoi qu'il en soit, une partie de moi conservait espoir, dans les premiers temps. Cette situation ne pouvait se poursuivre indéfiniment. C'est ce que je me disais.

Pourtant, à mesure que le temps passait, même cet espoir se retirait. Ce qui pointait alors le bout de son nez était le désespoir.

Comme l'a dit quelqu'un, il n'y a pas pire que le désespoir.

Plus que la souffrance qui s'emparait alors de moi, ce qui me troublait le plus, c'était la perspective de devoir supporter cette souffrance toute ma vie durant.

Je voulais te voir.

Je voulais être à tes côtés.

Mais je me contenais.

Six mois ont passé, juste comme ça.

Tu as obtenu ton diplôme, et comme je te le disais tantôt, tu as commencé à travailler comme prof de danse dans un club de fitness.

J'ai abandonné l'université et pris un petit job dans un combini près de chez moi. J'ai poursuivi mes efforts obstinés pour élargir petit à petit le diamètre de mon monde.

C'est également à cette période que le contenu de tes lettres s'est mis à changer. C'était couru, bien entendu, puisque d'étudiante, tu étais passée au statut de femme active, mais je me sentais un peu seul de te voir devenir une personne que je ne connaissais pas.

Toi seule allais de l'avant.

Moi, je n'avais pas pu faire un seul pas depuis le printemps de mes dix-neuf ans.

Ta silhouette, d'abord visible, à portée de main, était à présent loin devant.

Tu avais l'air de t'amuser. Des noms que je ne connaissais pas ont fait leur apparition en nombre dans tes lettres. D'après les épisodes que tu rapportais inconsciemment, je pouvais facilement deviner que tu devais plaire à tel ou tel garçon. Tu t'éloignais de moi, pour te rapprocher d'un autre, petit à petit.

Poco poco.

C'est bien, me disais-je.
N'était-ce pas là mon souhait ?
C'est vrai, me répondais-je.
Et puis, un jour, je t'ai écrit.

En raison de circonstances indépendantes de ma volonté, je risque de ne plus pouvoir t'écrire à partir de maintenant.

J'en suis désolé.

Adieu.

Après cela, tu m'as inondé de lettres.

Tu ne m'as jamais posé de questions concernant ces « circonstances indépendantes de ma volonté ». Au lieu de cela, tu continuais de me rapporter les événements autour de toi, en des termes un peu plus modérés qu'avant, à intervalles un peu plus modérés qu'avant.

Et puis, le jeudi de la troisième semaine d'août, tu as fait irruption sur mon lieu de travail.

« Ça va ? m'as-tu demandé.

— Ça va.

— Tu as maigri un peu, on dirait.

— Hmm. J'ai peut-être un peu maigri. »

Tu étais devenue une jeune femme magnifique. Tu avais les cheveux longs. Tu arborais un maquillage léger. Tu portais des vêtements adultes et chics. Bref, tu avais l'air d'une adulte chic.

Je ne comprenais plus rien à rien. J'avais envie de pleurer, étreint par la nostalgie et le sentimentalisme ; la confusion et la nervosité ne faisaient qu'ajouter à cette envie.

Mais c'est toi qui a pleuré en premier.

Soudainement.

Tu as dit *je suis désolée*. Puis tu as essuyé tes larmes de ton index, tu as roulé les yeux, et tu t'es mise à rire.

« Qu'est-ce qui m'a prise ? Je me demande si c'est parce que ça faisait longtemps…

— Sans doute. »

C'est tout ce que j'ai trouvé à dire.

« Ça ne t'a pas posé problème, que je débarque comme ça ? »

J'ai remué la tête.

Je suis désolée, as-tu dit.

« Mais tu comprends, c'est trop...

— Ça te plaît, de travailler au club de fitness ? »

J'essayais désespérément de changer de sujet.

« Oui. C'est sympa. Ça change de la gymnastique.

— Tant mieux.

— Et toi, Aio-kun ? L'université ? »

Tu étais sans doute passée chez moi, où ma mère t'aurait dit que j'étais là, mais tu devais trouver étrange que je travaille à l'heure du déjeuner. Car après tout, cours ou pas cours, j'allais tous les jours sur le campus m'entraîner dès le matin.

« J'ai arrêté, ai-je simplement répondu.

— Pourquoi ? m'as-tu demandé avec un air étonné.

— J'avais plein de choses à faire, ai-je menti.

— Plein de choses... comme bosser ici ?

— C'est pas ça. »

J'avais enfin réussi à me calmer, et je me suis mis à jouer mon alter ego.

« J'ai plein de projets. Plein.

— Plein ?

— Hmm. »

Je savais pas...

C'est ce que tu as dit, l'air abandonné.

Je n'avais pas de projets. Planter des tomates n'entre pas exactement dans la catégorie des « projets ». Mais je ne pouvais encore t'avouer la vérité.

« Il se pourrait bien que je quitte cette ville. Peut-être, ai-je menti.

« — Tu vas loin ?

— Peut-être.

— À l'étranger ? »

J'ai haussé les épaules, comme pour dire *qui sait ?*

« Les lettres aussi, c'est pour ça ? »

J'ai opiné trois fois du chef, niaisement. Mon jeu était si stéréotypé que tu aurais forcément remarqué mon manque de naturel, si tu avais été toi-même.

« Désolé », ai-je dit.

Mes mots me semblaient incroyablement froids. *Je ne t'aime pas, mais je me sens responsable. C'est pour ça, je suis désolé.*

« Mais j'ai bien lu tes lettres, Enokida-san. Merci beaucoup.

— Hmm. »

Tu semblais regretter d'être venue jusque-là. Pourtant, prenant ton courage à deux mains, tu as relevé la tête.

« Nous deux... » as-tu dit.

« Désormais... »

« Un jour... »

Tu m'as regardé d'un air triste, luttant pour faire sortir les mots.

« J'aimerais bien te revoir un jour. À une réunion d'anciens du lycée. Ou pour nos mariages respectifs. »

Je me rappelle encore tes yeux à ce moment-là. Ce regard grave, empreint d'un désir incommensurable.

Ce que tu voulais tant, c'était la vérité. Une vérité différente des mots que tu venais d'entendre.

Et pourtant, j'ai ignoré ton appel.

« Je te souhaite beaucoup de bonheur. Merci pour tout, Enokida-san.

— Mon... »

C'est tout ce que tu as dit. Tu as fermé la bouche et baissé la tête.

Bien plus tard, je t'ai posé une question. Qu'est-ce que tu avais voulu dire, à ce moment-là ?

Voici ce que tu m'as répondu :

« Mon bonheur, ce serait de devenir ta femme. »

Mais jamais tu n'aurais pu dire une chose pareille.

« Au revoir, ai-je dit. Je dois y retourner.

— Hmm.

— Prends soin de toi.

— Hmm. »

Puis je t'ai laissée là, et j'ai regagné la boutique.

C'est parfait, ai-je murmuré.

Vraiment ? ai-je senti dire quelqu'un.

À ce moment-là, nous aurions dû nous séparer pour vivre nos vies sans plus nous revoir. Notre relation avait été remise à zéro. Tu étais censée mener la vie qui te convenait. J'étais censé n'avoir devant moi qu'une vie mal définie, qui me convenait. Sûrement.

Peut-être était-ce le bon moment pour rompre. Tu allais pouvoir démarrer une nouvelle relation, sans être retenue par tes amours passées. Sans faiblesse ni culpabilité.

Je suis désolée. Ce n'est pas la première fois que je tiens la main d'un homme.

Tu ne dirais jamais ce genre de choses. Quant à moi, il me resterait quelques souvenirs.

Une robe abricot. De longs cheveux retenus par une barrette. Un pull mohair. Des doigts qui en rencontraient d'autres dans une poche.

Et puis, ce cache-oreilles en tricot.

Merveilleux.

La vie pourrait se résumer à ça, sans problème.

Puisque la vie prend sans doute fin avant même qu'on ait pu dire ouf, de toute façon, on n'a pas besoin de tant de souvenirs à ressasser.

Un unique amour. Un unique amoureux. Et des épisodes tirés de trois rendez-vous.

C'est suffisant.

Les trop grands désirs sont réprimés. C'est une règle d'or qui régit bien des légendes anciennes.

Pour les personnes contraintes de renoncer à leurs désirs, ce sont des paroles bienvenues.

Il n'y a pas plus grande consolation.

Les jours qui ont suivi n'étaient pas très différents des jours précédents.

Une seule chose avait changé : je ne recevais plus de lettres de toi. Même si c'était là ce que j'avais souhaité, lorsque les lettres ont réellement cessé de venir, mon désir de voir le lendemain s'en est trouvé diminué de moitié.

Demain s'annonçait plus merveilleux qu'aujourd'hui pour la raison qu'il me rapprochait de ta lettre suivante. Ainsi avais-je passé le temps jusque-là, c'est pourquoi tes missives me manquaient cruellement.

Quoi qu'il en soit, les jours n'en continuaient pas moins de s'écouler.

Demain ressemblait beaucoup à aujourd'hui, mais chaque jour je m'acquittais de mes tâches. J'allais à l'hôpital en scooter, puis je passais le reste de la journée à scanner des codes-barres au combini du coin. Progressivement, j'ai développé un instinct pour repérer les hôpitaux qui me correspondaient. Les docteurs ne se grattaient plus la tête, les médicaments qu'on me donnait m'ont rapproché de mon état normal, ne serait-ce que temporairement.

Et ainsi, une année s'est écoulée avant même que j'aie pu dire « ouf ».

Tu vois.

« Et alors on s'est revu, c'est ça ?

— En effet.

— Et moi, comment j'avais vécu pendant ce temps-là ? Est-ce que j'avais fini par laisser tomber ? »

Je ne sais pas trop, ai-je répondu.

« Tu ne m'as jamais beaucoup parlé de toi, et je n'ai pas pensé à te poser la question.

— Et ça t'allait ?

— Ça m'allait. Je m'imaginais bien que tu avais dû connaître des périodes difficiles, et je savais que c'était une décision à laquelle tu étais parvenue après avoir beaucoup réfléchi. »

Mais tant mieux, as-tu dit.

« C'est grâce à la décision que j'ai prise à cette époque, si on a eu cette vie ?

— En effet. »

Mio a posé sa tête menue sur ma poitrine, dans ce qui était jusqu'à présent son geste le plus intime. Un geste qui semblait condenser quantité de mots en un seul. Tous en rapport avec l'amour, bien entendu.

« Et ensuite… » as-tu dit.

J'ai poursuivi mon récit.

Le remède que je prenais à l'époque était-il efficace, ou mes séances chez le psy commençaient-elles à mener à quelque chose, ou bien l'approche « occidentale » que j'avais adoptée quelque temps auparavant obtenait-elle ses premiers succès, toujours est-il qu'à l'été de mes vingt et un ans, j'ai miraculeusement fini par redevenir celui que j'avais été autrefois.

Ce n'était probablement qu'une rémission temporaire, et je savais moi-même que cela ne pouvait durer longtemps. C'était pour ainsi dire comme l'heure de promenade octroyée au prisonnier, avant que celui-ci ne doive regagner son étroite cellule.

Dans cette perspective, j'avais résolu de profiter autant que faire se peut du temps imparti ; aussi ai-je pris mon scooter pour un périple en bord de mer. Je voulais voir autant de lieux nouveaux que possible avant de me trouver enfermé dans mon petit monde. Cela vaut pour tout, mais ce n'est qu'au moment de comprendre que l'on est sur le point de perdre quelque chose que l'on sait enfin ce qu'on veut. Peut-être, si les choses n'en étaient pas arrivées là, aurais-je disparu sans faire ce voyage le long de la côte.

Je pensais me satisfaire de ma vie dans mon monde de 200 mètres de diamètre.

Bien sûr, je n'étais pas tout à fait revenu à mon état normal. Les souvenirs de ma plus mauvaise période s'accompagnaient d'un problème gênant, celui d'une angoisse prémonitoire. Dans ma condition, agrippé à la rampe, le dos courbé, je sortais de ma cellule pour gagner petit à petit des lieux éloignés.

Bientôt, ayant parcouru la moitié du chemin, je me suis détourné vers l'intérieur des terres. Je voulais décrire un 8 plutôt qu'un cercle.

Et puis, ce jour-là, pour la première fois depuis un an, j'ai entendu ta voix.

J'appelais tous les jours à la maison. Après tout, j'avais entrepris ce voyage dans un état quelque peu précaire, aussi mes parents se faisaient-ils du souci. Comme c'était à une époque où les téléphones mobiles n'étaient pas encore aussi répandus, je les appelais en PCV depuis une cabine publique pour leur dire que tout allait bien.

Ce jour-là, ma mère a décroché et me l'a transmis.

Ton message.

Tu avais à me parler et souhaitais que je t'appelle. En PCV (une attention typique de toi). Tu attendrais mon appel, n'importe quand. C'était là le contenu de ton message.

Ce n'était pas bien de faire attendre une jeune fille. Ça, ce n'était pas dans ton message – c'étaient les paroles de ma mère.

Reçu.

Que se passait-il ?

J'ai envisagé tout un tas d'hypothèses.

Il t'était peut-être arrivé malheur ? Ce genre de pensées montait en moi. Comme j'étais le genre de personnes qui se font plus de souci que nécessaire, je ne parvenais pas à penser positif. Étais-tu tombée malade, un sale type avait-il abusé de toi, le talon de ta chaussure avait-il cassé ? Il y avait tellement de possibilités.

Si tu avais besoin, dans pareilles circonstances, d'être consolée par le petit ami dont tu étais séparée depuis un an, je n'avais aucune intention de te refuser ma compassion. Je voulais te réconforter, je voulais t'encourager. Si tu n'avais que ce cœur pitoyable vers lequel te tourner, cela en disait long sur les difficultés que tu devais rencontrer, et cela m'angoissait terriblement. J'ai récolté toutes les pièces de monnaie que j'avais dans les poches pour les empiler sur le téléphone.

J'ai composé le numéro de ton domicile avec soin. Ce n'était pas un appel en PCV, j'allais payer. J'avais suffisamment de fierté pour cela.

Tu as décroché à la première sonnerie.

J'ai été un peu surpris, car je ne m'attendais pas à ce que tu répondes si vite.

« Aio-kun ? as-tu demandé avant même que j'aie pu dire un mot.

— Oui, c'est moi.

— Ah, c'est bien ta voix. »

Ta voix que je n'avais plus entendue depuis un an emplissait mon cœur de chaleur.

« Tu attendais mon appel ? Tu as décroché tout de suite.

— Hmm. J'étais sûre que tu m'appellerais sans faute.

— Ah bon ?

— Oui. »

Le murmure de ta voix résonnait au creux de mon oreille.

« Qu'est-ce qui se passe ? Tu avais l'air pressée de me contacter.

— Aio-kun ?

— Qu'y a-t-il ?

— Où es-tu en ce moment ?

— En plein voyage. À environ 300 km de chez toi.

— Dis…

— Oui ?

— Je peux te rejoindre ? »

Un blanc.

« Allô ?

— Hmm.

— Où étais-tu passé ?

— Je suis juste là. Dans une cabine téléphonique, le combiné serré dans ma main.

— Ben alors, réponds.

— Hmm. Ça m'a surpris.

— Ça t'a surpris. Et après ?

— Ça m'a rendu heureux, très heureux. Mais…

— Tout va bien.

— Tout va bien ?

— Hmm, tout va bien.

— Tout va bien, tu es sûre ?

— Oui. »

Ainsi, sans que je sache pourquoi, je me suis laissé gagner par ta confiance, et nous sommes convenus de nous retrouver dans une ville quelconque deux jours plus tard.

J'ai appris plus tard que cette ville, située à 700 mètres d'altitude, connaissait alors sa journée la plus active de l'année. Près de cinq cent mille personnes devaient s'y rassembler pour regarder les feux d'artifices tirés au-dessus du lac. Cinq cent mille personnes, c'est bien plus que les populations de Monaco et du Liechtenstein réunies. C'était énorme.

Tu venais, sans rien savoir de tout cela. Allions-nous vraiment pouvoir nous retrouver ? Quoi qu'il en soit, je ne pouvais qu'attendre en gardant foi en toi.

J'ai parcouru la ville à la recherche d'un casque afin que tu puisses monter sur le siège arrière. Mon idée de départ était de te passer le casque jet rouge que je portais et de m'en procurer un autre pour mon usage personnel.

Comme je n'avais pas assez d'argent pour en acheter un, j'espérais pouvoir en emprunter un quelque part dans une boutique moto. Tout ce que j'ai pu me procurer après de longues recherches, c'était un casque bol extraordinairement vieux. Du genre qu'une vieille dame porterait pour aller faire ses courses. Il n'y en avait pas de plus minable. Étant donné qu'on ne s'était pas revus depuis un an, je n'étais pas en très bonne posture, mais je ne pouvais te laisser porter ce casque.

L'heure approchait, et j'ai pris la direction du rond-point où nous avions rendez-vous, devant la gare. On avait encore le temps avant la tombée de la nuit, mais les touristes empressés avaient commencé à se rassembler fébrilement en voiture. La route était terriblement encombrée.

Lorsque je suis enfin arrivé au rond-point, l'heure d'arrivée de ton train était passée de dix minutes. Le parvis de la gare grouillait d'amateurs de feux d'artifice tout juste débarqués.

J'ai cherché ta silhouette parmi la foule. Il y avait beaucoup de jeunes femmes de ton âge, mais tu n'y étais pas. J'ai regardé ma montre : ton train était arrivé depuis quinze minutes.

Peut-être ne viendrais-tu pas.

Non, après tout, c'était impossible.

Je me suis laissé tomber sur place, impuissant, tandis que mes sentiments exacerbés se relâchaient.

Qu'est-ce que je m'étais imaginé ? À quoi m'attendais-je, passées nos retrouvailles en cet endroit ? Les circonstances n'avaient pas changé, en un peu plus d'un an.

Les gens s'affairaient autour de moi alors que je baissais ma tête toujours coiffée de ce bol dégoûtant. Toutes ces voix ne semblaient vouloir dire qu'une chose :

QU-QU-QUELLE SOIRÉE MAGNIFIQUE EN PERSPECTIVE !

Tout le monde était surexcité. Tout le monde se réjouissait par avance de cette magnifique soirée.

Même moi. Jusqu'à cinq minutes auparavant.

« Aio-kun ? »

J'ai levé la tête, et ton visage en larmes m'est apparu au milieu de la foule.

« Ce casque... as-tu dit en me regardant avec un sourire soulagé. Il ne te va pas très bien.

— C'est vrai, ai-je répondu. Allez, on bouge ? Une soirée magnifique nous attend. »

Le soir venu, nous étions au bord du lac.

Je ne t'avais pas demandé la raison pour laquelle tu étais là, et tu n'avais pas essayé de m'interroger sur mes sentiments non plus. J'étais heureux de te voir, mais j'étais encore embêté. Est-ce que c'était une occasion spéciale, unique, ou bien était-ce là le début d'une nouvelle ère, je ne le savais pas moi-même.

Tu semblais très détendue. Ton expression semblait indiquer que tu avais trouvé quelque réponse en ton for intérieur, que tu n'avais plus aucun sujet d'inquiétude. Ta seule venue constituait sans doute ta réponse.

Nous nous sommes assis sur les pavés qui couraient le long du rivage. Nous avions le dos appuyé contre une clôture en métal, et une prairie s'étendait devant nous. Le vent était frais en dépit de l'été. La faute, peut-être, à l'altitude.

Dans le ciel, l'immense rideau de ténèbres prévu pour cette soirée était déjà descendu. Les passants éclairés par les réverbères avaient tous la mine heureuse.

La magnifique soirée pouvait commencer.

« Tu n'as pas froid ?

— Ça va. »

Tu frissonnais pourtant sous l'effet du vent qui caressait la surface du lac.

J'ai passé le bras autour de tes épaules.

« Merci, as-tu dit. Tu me tiens chaud. »

Le premier feu d'artifice a finalement éclaté. Le son nous parvenait un peu en retard de la lumière. Il se répercutait sur les montagnes entourant la ville pour nous envelopper dans une vague paradoxale.

Incroyable... as-tu dit.

N'est-ce pas.

Le prologue terminé, les fusées se sont élancées une à une avec une force croissante. Le lac se perdait dans l'enthousiasme de cette nuit d'été. N'importe qui aurait hurlé en sentant le sang lui monter à la tête.

« On marche ?

— Hmm. »

Nous nous sommes levés et avons marché en direction de la rive. Les bords du lac regorgeaient de gens venus de tous horizons. Tous les deux, nous contemplions l'étendue d'eau depuis l'extérieur de ce cercle.

« Je suis contente d'être venue, as-tu dit.

— Vraiment ?

— Oui, passer autant de temps avec toi, Aio-kun… »

À ces mots, tu as enroulé ton bras dans le mien. Il semblait fin et froid au toucher.

« Je serai toujours à tes côtés, as-tu déclaré en regardant la surface du lac, debout près de moi.

— Mais…

— Ça va aller. Pour sûr. »

J'ai abandonné l'idée de te poser plus de questions. La lueur des feux d'artifice teintait ton visage d'une couleur mystérieuse. La chaleur a regagné ton bras enlacé au mien. Nous nous sommes tus.

Cessant de réfléchir, je me suis laissé aller au bonheur que tu m'offrais.

Le bonheur, c'est d'être auprès de toi.

La fin approchait.

Un petit silence s'est invité, juste avant le dernier tir. Cinq cent mille personnes ou presque qui retenaient leur souffle, toutes ensemble. On aurait pu entendre quelqu'un déglutir.

Gloups.

Puis la dernière fusée a explosé à la surface du lac.

En formant un énorme dôme de lumière.

Quelques secondes plus tard, le souffle nous a frappés. Un souffle lourd, profond, puissant.

Tu fixais le lac sans relâche de ton regard sérieux. Sentant mes yeux sur toi, tu t'es tournée vers moi pour me sourire.

« C'était assez effrayant.

— N'est-ce pas ? »

Je n'oublierai jamais cette soirée. C'est ce que tu as murmuré.

Nous nous sommes éloignés du lac et avons essayé de quitter la ville. Aux devantures des maisons, les lanternes de l'O-bon émettaient une lueur diffuse. Nous étions encore un peu ivres de son et de lumière, tous les deux. Nos sensations exacerbées nous rendaient audacieux.

Tu as déclaré que tu ne rentrerais pas à la maison. Je n'ai pas objecté. Même en prenant le train sur-le-champ, il était hautement improbable que tu puisses arriver chez toi avant minuit. Dès le moment où tu avais décidé de venir me voir, tu n'avais pas eu l'intention de rentrer.

Comme un grand nombre des cinq cent mille personnes présentes n'avaient elles non plus pas prévu de rentrer, toutes les auberges des alentours étaient complètes. Nous avions l'intention de nous rendre dans une autre ville, la deuxième après le col, et d'y chercher un endroit où passer la nuit.

Mon scooter se mouvait lentement sur la nationale plongée dans la nuit. Tu t'agrippais à moi de toutes tes forces, comme toujours. Un petit sac de vinyle blanc pendait à ton épaule.

Je t'ai fait le récit des nombreux problèmes qui m'accablaient.

Sans surprise, ton visage ne semblait guère étonné tandis que tu écoutais mon histoire.

« Je savais, quelque part. Sans tout ça, tu n'aurais pas abandonné la course, pas vrai ? »

Je vois. Impressionnant.

« C'est pour ça aussi que tu as essayé de m'éloigner, non ?

— Peut-être.

— Tu ne t'es pas senti seul ?

— Si, très. »

Alors, tu as dit :

« Moi aussi. »

Il s'est mis à pleuvoir bien avant que nous atteignions le col.

Comme c'était une nuit sans étoiles, je savais que le temps ne serait pas idéal, mais la pluie était quand même soudaine. Tout d'abord éparse, elle s'est ensuite mise à tomber dru. On avait beau être en été, on était aussi à 700 mètres d'altitude. Même la pluie était glacée.

Nos corps se sont rapidement refroidis. Avec ma tendance à me faire plus de souci que nécessaire, j'ai ressenti une profonde angoisse. Ta température chutait. À ce rythme, tu allais contracter une pneumonie.

Un tunnel piéton se dessinait juste devant nous. Nous nous y sommes abrités de la pluie. Mais même ainsi, la chaleur quittait nos corps à toute vitesse.

La pluie, pareille aux pièces dégringolant d'un bandit manchot qui aurait atteint le jackpot, ne savait pas quand s'arrêter.

Rester là ou bien poursuivre notre route – ni l'un ni l'autre ne constituait un futur envisageable. Les lèvres décolorées et tremblantes, tu serrais ton propre corps de toute la force de tes deux bras. Je pouvais distinguer les bretelles de ton soutien-gorge à travers ton t-shirt plaqué par l'humidité. L'eau dégoulinait sur ton visage, glissant le long de ta frange collée à ton front.

Pris de douleurs à la poitrine sous le coup de l'angoisse, j'ai cherché tes yeux. Lorsque nos regards se sont croisés, tu m'as adressé un sourire d'encouragement.

« Tout va bien, as-tu dit. Partons. Il faut reprendre la route. »

Chaque personne connaît son lot d'instants lourds d'importance. Pour moi, ce moment en faisait partie. Pour toi, qui allais plus tard devenir ma femme, il prenait sans doute le même sens. Et pourtant, c'est à peine si je me rappelle tes paroles à ce moment-là.

Sans la moindre hésitation, tu as prononcé les mots qui allaient déterminer le cours de ta propre vie.

Je trouve cela extrêmement intéressant.

Dès l'instant où j'ai entendu ces mots, j'ai résolu dans mon cœur de rester toujours avec toi.

C'est toi qui as décidé de ta vie. Et tu avais choisi de toi-même de parcourir ce chemin avec moi. Il était arrogant de ma part de te le refuser sous l'influence d'une morale vacillante.

Je ne savais pas ce qui nous attendait. Le bonheur devait certainement circuler quelque part. Partir tous les deux à sa recherche était une perspective réjouissante.

« Ça va aller », as-tu dit.

Ça va aller. Tout ira pour le mieux, sûrement.

J'avais le sentiment que c'était de notre avenir que tu parlais.

Quoi qu'il en soit, nous avons repris la route.

Tout n'était pas noir.

Même un type comme moi saurait te rendre heureuse, peut-être.

« Tu as raison, ai-je dit. On reprend la route ?

— Oui, allons-y. »

Et nous nous sommes élancés sous les torrents de pluie.

« Quand nous avons enfin trouvé un hôtel où nous enregistrer, nous étions tous les deux aussi froids que des cadavres dans une morgue.

— C'était pourtant l'été ?

— Le col était à près de 1000 mètres d'altitude.

— On était trempés ?

— Et pour couronner le tout, nous n'avions rien mangé.

— On aurait vraiment pu finir à la morgue.

— C'est vrai.

— Et ensuite ?

— Ensuite ?

— Après ça, qu'est-ce qu'on a fait ? Tous les deux.

— Plein de choses.

— Par exemple ?

— On a pris une douche, on a mangé du pain.

— Eh...

— Après quoi, on a regardé la télévision ensemble.

— C'était une télé à pièces ?

— Tout juste. On a regardé un programme culinaire. Qu'est-ce que c'était, déjà... Il me semble que ça devait être un plat aux brocolis...

— Et on a regardé ça ensemble.

— En effet. J'aimais bien les émissions de cuisine. Même si je ne suis pas doué aux fourneaux.

— Ah bon ?

— Hmm.

— Et après ça ?

— Après ça, tu es venue dans mon lit, on s'est serrés, et on s'est embrassés.

— Incroyable !

— On a fait l'amour, aussi.

— On s'est donnés à fond. C'est génial.

— En fait, pas tellement. »

14

« Hoho, Yûji ! »

J'ai été réveillé en sursaut par la voix d'homme terriblement familière qui tonnait à proximité de mon oreille.

« Regarde, je t'ai amené une surprise ! »

J'avais fait la grasse matinée, apparemment. Je suis sorti de mon futon et me suis dirigé vers la cuisine en me frottant les yeux. Le petit-déjeuner était déjà prêt sur la table. Mio lavait quelque chose dans l'évier.

« Bonjour.

— Bonjour. Bien dormi ?

— Comme un bébé.

— Tant mieux.

— Ouah, s'est exclamé Yûji. Je me suis encore fait avoir.

— Comme je te l'ai expliqué… ai-je dit, installé à table. Tout le temps où tu étais alitée, j'ai dû m'occuper de la maison, quoi qu'il arrive. »

Ce n'était pas facile, ai-je ajouté.

« J'oubliais tout, je ne remarquais rien, je laissais tomber à cause de la fatigue…

— C'est pour ça que vous portez des vêtements sales et que vous vivez dans un appartement mal tenu ?

— Voilà. »

Le visage de Mio indiquait qu'elle trouvait tout cela encore un peu louche, mais elle a fini par acquiescer.

« Je comprends. Autrement dit, je dois rester en forme.

— Exactement.

— Mais je te l'ai dit, non ?

— Hein ?

— Que tout va bien se passer.

— Ah, c'est vrai.

— Alors, je vais faire de mon mieux.

— Et ta migraine ?

— Ça va. J'ai un peu mal, mais ça va mieux.

— Content de l'entendre.

— Merci. »

Après, je lui ai demandé :

« Tu veux qu'on fasse les courses ensemble, ce soir ?

— Ensemble ?

— J'aimerais te faire rencontrer quelqu'un.

— Moi ? »

J'ai acquiescé.

« Un ami à nous deux. Il pourrait peut-être t'aider à retrouver la mémoire.

— Je m'en réjouis d'avance.

— N'est-ce pas !

— Nombre-sensei, a dit Yûji.

— Nombre…

— C'est l'homme qu'on va voir ce soir. On l'appelle Nombre-sensei.

— Il est professeur ?

— Il l'était, autrefois, ai-je expliqué. Il travaillait comme instituteur en primaire.

— Pooh sera là, aussi. »

Mio m'a regardé d'un drôle d'air.

« Tu comprendras en le voyant », lui ai-je dit.

Le soir venu, nous nous sommes rendus tous ensemble au centre commercial pour y acheter des brocolis, du bacon, des champignons et de la crème fraîche. Sur le chemin du retour, nous avons pris la direction du parc numéro 17.

Nombre et Pooh étaient immédiatement visibles. Demandant à Mio et à Yûji de m'attendre, je suis entré seul dans le square. Nombre m'a fait signe de la main en me voyant arriver.

« Bonjour.

— Holà.

— Vous vous êtes bien préparé ?

— Je suis prêt. Je ne me laisserai pas surprendre.

— Elle a complètement perdu la mémoire.

— C'est ce que vous m'aviez dit, oui.

— Et elle ne sait pas non plus qu'elle est un fantôme.

— Naturellement, je m'en doute.

— Du coup, je ne lui ai rien dit de ce qui est arrivé il y a un an. J'ai fait comme s'il ne s'était rien passé, comme si elle avait continué de vivre avec nous pendant tout ce temps.

— Vous avez bien fait. La vérité est trop triste.

— C'est pour ça...

— Je comprends. Pas de problème. »

J'ai acquiescé et me suis retourné pour leur faire signe de venir.

« Elle arrive, ai-je annoncé à Nombre à voix basse.

— Hmm-hmm. »

Mio et Yûji sont venus nous rejoindre, main dans la main. Yûji s'est précipité sur Pooh et a commencé à jouer avec lui.

« Bonjour, a dit Mio.

— Bonjour. Alors comme ça, il paraît que vous avez oublié des choses ?

— En effet. C'est ennuyeux.

— Même moi ? »

Désolée, a dit Mio.

« Je sais que vous êtes le professeur Nombre. Mais je ne me souviens pas de vous. »

Nombre a laissé échapper un petit rire.

« Puisque vous avez oublié votre mari, il serait un peu gênant que vous vous souveniez de moi...

— N'est-ce pas. »

En regardant Mio discuter avec Nombre, j'ai été pris d'une étrange sensation. Comme l'impression qu'elle habitait réellement notre monde, après tout. Jusqu'à ce moment-là, j'avais pensé que seuls Yûji et moi percevions sa présence, pareille à un rêve bienheureux. Mais ce n'était pas le cas.

Elle était bien là.

Mio et Nombre parlaient de leur première rencontre.

« Vous aviez les cheveux lâchés. Vous portiez un tablier, et teniez à la main un sac en plastique rempli de provisions.

— C'était ici ?

— Absolument. On aurait dit un couple de lycéens. Même si vous êtes toujours jeunes. »

Comment dire... ça avait l'air très amusant, a dit Nombre.

« Chaque jour devait être agréable. C'était l'impression que vous donniez. Vous sembliez si différents de moi que j'en étais même un peu envieux.

— C'était parce que nos souhaits s'étaient enfin réalisés et que nous pouvions être ensemble.

— Oui, ça aussi, je suis au courant. Les feux d'artifice sur le lac. Lorsque je vous ai rencontrés ici, cela devait être l'été de l'année suivante. »

Mio s'est retournée pour me regarder.

« C'est juste. Nous nous sommes mariés au printemps, un an après nos retrouvailles. Le printemps de nos vingt-deux ans. J'avais finalement trouvé un emploi moi aussi, et nous sommes venus nous installer ici.

— Vous vous faisiez toujours du souci pour Tak-kun. Même lorsqu'on discutait dans ce jardin, vous lui demandiez souvent "Tout va bien ?".

— Moi ?

— Oui, vous, Mio-san. Parce que c'était son premier emploi, à votre mari, et que sa santé n'était pas très bonne. On savait bien qu'il faisait de son mieux pour tenir, mais sa fatigue était visible. »

J'ai haussé les épaules tandis que Mio me regardait de nouveau.

Ce n'était pas si terrible.

« Et au milieu de tout ça, vous êtes tombée enceinte. Vous aviez l'air heureuse quand vous êtes venue me l'annoncer.

— Yûji était en moi...

— Qu'est-ce qui y a ? a demandé Yûji.

198

— On parle du temps où tu étais dans le ventre de ta maman, petit. Grâce à toi, ta mère et ton père avaient l'air le plus heureux du monde.

— Vraiment ?

— Vraiment, a dit Mio.

— Tu sais, ta maman... a repris Nombre. Avant ta naissance, déjà, elle sentait que tu serais un garçon, alors elle s'est tout de suite mise à acheter des vêtements de petit garçon.

— Mais oui, c'est vrai ! J'ai été tellement soulagée quand tu es né. "Ouf, je n'ai pas acheté tous ces vêtements pour rien..." »

Heh, a dit Yûji d'un air distrait, avant d'interpeller Mio d'un *au fait...*

« Lui, c'est Pooh !

— ~ ? a dit Pooh, qui était venu s'installer sous les jambes de Mio.

— Et sa voix... ? a dit Mio en se tournant vers Nombre.

— Avant de venir chez moi, il a perdu la voix à cause d'une opération destinée à l'empêcher d'aboyer.

— ~ ?

— Pourtant, ça n'a pas l'air de le contrarier, ni de l'inquiéter. C'est un excellent compagnon. »

Bien, a ajouté Nombre.

« On ne va pas tarder à y aller... »

Nombre nous a montré le sac en plastique qu'il tenait à la main.

« Enfin !

— Des éperlans ?

— Tout juste. Aujourd'hui aussi, ils étaient à moitié prix. J'en suis heureux. »

Mio-san, a lancé Nombre.

« Oui ?

— J'espère vous revoir.

— Oui.

— Vous... »

Nombre a hésité un peu. La main de laquelle il tenait le sac tremblait légèrement.

« Vous me faites penser à ma sœur cadette. Je ne saurais vous dire pourquoi exactement, vos gestes, peut-être. »

C'est pour cela, ça me rend nostalgique.

« Cela me rappelle le bon vieux temps. Quand, en rentrant du travail, je lui racontais les événements de la journée... »

Nombre a acquiescé doucement à ses propres mots.

« Je suis désolé de vous imposer mes histoires de vieillard. N'hésitez pas à revenir.

— Bien sûr, que je reviendrai. Vous m'en direz plus. Beaucoup plus. »

Acquiesçant toujours, Nombre nous a tourné le dos pour rentrer chez lui. Pooh s'est empressé de le suivre.

Bye-bye.

C'est ce qu'a dit Yûji en agitant la main.

15

Peu à peu, par petits morceaux, elle comblait
les vides que j'avais créés.

Poco poco.

Lorsque je me suis réveillé soudain en pleine
nuit, je percevais son souffle de dormeuse, de
l'autre côté de Yûji. Comme le pêcheur qui
entend le bruit des vagues, je m'étais profondément habitué à entendre le fantôme de mon
épouse respirer dans son sommeil.

Cela me rendait heureux.

Notre histoire, commencée au printemps de
nos quinze ans, avait avancé jusqu'à l'été de nos
vingt-trois ans.

Lorsque tu as donné naissance à Yûji, ta poitrine est devenue incroyablement volumineuse.
Ces seins jusque-là modestes s'élevaient fière-
ment en direction du ciel. Des vaisseaux bleu
clair traçaient de ravissants motifs pareils aux
nervures d'une feuille. Ton lait ne tarissait
jamais, telle une source au pied d'une montagne.
Yûji repu, le lait de sa mère continuait de jaillir,
recouvrant son visage. Tu pouvais deviner son
appétit au seul gonflement de ta poitrine.

« Bientôt, disais-tu. Bientôt, il va se mettre à pleurer pour me signaler qu'il a faim. »

Et c'était exactement ce qui se produisait.

Vous étiez encore liés tous les deux, comme un seul être.

À cette époque, ta santé déclinait, et on ne peut pas dire que tu allais bien, mais en dépit de cela tu faisais tout ton possible pour le bien de Yûji. Il n'était encore qu'un petit être étrange, mou et flasque, aussi nous occupions-nous de lui avec la plus grande attention.

Nous le baignions ensemble, tous les deux ; je le maintenais tandis que tu le nettoyais à l'aide d'un morceau de gaze. Une fois que tu l'avais nourri, je lui tapotais le dos pour qu'il fasse son rot. Lorsqu'il pleurait, incapable de s'endormir, je l'installais sur mon ventre, et tu lui chantais des berceuses, juste à côté.

Nen nen kororiyo okororiyo.

Alors, il s'endormait en un clin d'œil.

Je regardais alors avec agacement Yûji qui ronflait, endormi sur mon estomac. Ainsi installé, je ne pourrais pas bouger dans l'immédiat. C'est dans ces moments-là que je me suis rappelé ma profonde sympathie pour les papas manchots empereurs.

Ce week-end-là, nous sommes allés dans la forêt tous les trois.

Mio utilisait le vélo que dont je me servais pour me rendre au travail. Même en ayant perdu la mémoire, elle savait encore monter avec aisance à bicyclette.

À l'entrée de la forêt, mère et enfant ont cherché des trèfles à quatre feuilles. À chaque nouveau tour que je faisais du circuit, ils me montraient tous les deux ce qu'ils avaient récolté pendant ce temps. Il y en avait un nombre incalculable. Peut-être la forme à quatre feuilles est-elle la norme pour les trèfles de ce champ.

Quel endroit bienheureux !

Les jours passaient tranquillement.

La saison des pluies ne semblait pas encore prête à s'arrêter.

Nous retrouvions le professeur Nombre presque tous les jours. Mio l'écoutait raconter des anecdotes des premiers temps de notre mariage, l'air heureux. Puis, lorsque la nuit tombait, c'était mon tour de reprendre le flambeau du professeur.

Les premiers mots qu'a mémorisés Yûji étaient « Manman, manman ». Nous ne pouvions dire clairement s'il désignait là sa mère, ou bien le lait qui affluait de sa poitrine. Je suppose que pour lui, il n'y avait pas encore de séparation nette entre les deux.

Manman, manman.

Ainsi exigeait-il sa mère, et dans le même temps le liquide tiède qui venait lui remplir l'estomac.

Pas une seule fois, Yûji n'a dit « papa ». Il entendait Mio m'appeler « Tak-kun », et il s'est mis à m'appeler ainsi, lui aussi. Cet homme squelettique au visage maladif, c'était « Tak-kun ».

« Moi aussi, je t'appelais "Tak-kun" ?
— Tout juste. À partir du moment où nous nous sommes mariés, tu as décidé de m'appeler comme ça.

— J'ai décidé ?

— Hmm. Parce que nous étions un couple sérieux. Nous prenions ce genre de décisions, comme il se doit.

— Alors, on s'était interdit les "chéri" ?

— Ce n'est pas ça. Tu me donnais tout un tas de noms différents, suivant l'humeur du moment. "Tak-kun", "chéri", "Aio-kun"... On s'est juste mis d'accord pour le plus standard.

— Et comment est-ce que tu aimerais que je t'appelle ? »

J'ai réfléchi un instant avant de lui répondre.

« Tout me va. Puisqu'ils me correspondent tous.

— Dans ce cas, tu n'as rien contre "chéri" ?

— Du tout. Je commence déjà à m'y habituer...

— Alors, je t'appellerai comme ça jusqu'à ce que la mémoire me revienne, d'accord ?

— Entendu. »

16

Le deuxième week-end aussi, nous sommes allés dans la forêt.

Il avait plu jusqu'au milieu de la nuit.

Les feuilles des arbres ruisselaient de gouttelettes, et le sol était humide sous nos pas.

Nous avancions doucement sur le sentier. Mio et Yûji marchaient en poussant leurs vélos dont ils étaient descendus.

Après la pluie, les araignées avaient tissé leur toile au hasard sur le sentier, et nous progressions avec précaution afin de ne pas nous les prendre dans la figure.

« Ouah, encore une. »

J'ai balayé la toile d'araignée que j'avais sur la tête.

« Pourquoi y a-t-il tant de toiles d'araignées après la pluie ? a demandé Mio, qui marchait derrière moi.

— Bonne question... Peut-être sont-elles pressées de retisser les toiles détruites par la pluie, mais pourquoi y en a-t-il autant sur le sentier ?

— Elles finissent détruites par les humains qui marchent sur le sentier...

— Rien ne les décourage, ces bestioles... »

Après avoir continué ainsi quelques instants, je me suis arrêté.

« Je vais vous montrer quelque chose de chouette.

— Quoi donc ?

— Quoi, quoi ?

— C'est juste quelque chose que je vous ai montré quand on est venus une fois en cette saison. Je pense que Yûji doit s'en souvenir.

— Vraiment ? »

Je suis sorti du sentier pour m'enfoncer plus avant dans la forêt. Ils m'ont suivi tous les deux après avoir posé leurs vélos.

La densité de la végétation et les nombreuses couches de feuilles mortes rendaient la marche difficile. Au bout de cinquante mètres environ, je me suis arrêté une nouvelle fois.

« Regardez. »

Je me suis mis sur le côté afin de ne pas leur bloquer la vue.

« Aah, des fleurs ! s'est écrié Yûji. Il y en a plein ! »

Des hostas. Tout autour de nous, le sous-bois était recouvert de centaines de fleurs blanches minuscules.

« Vous ne vous souvenez pas ? Je vous l'ai déjà montré.

— Quand ?

— Pas l'année dernière, mais celle d'avant, je crois. »

L'année dernière, à cause de Mio, nous n'étions pas venus dans la forêt à cette période.

« L'année d'avant ? C'était il y a combien de temps ? J'étais né ?

— Tu étais né, puisqu'on t'a emmené ici. Tu avais quatre ans.

— Pas possible.

— C'est pourtant vrai. »

Bizarre... a dit Yûji en hochant la tête.

« Je m'en souviens pas du tout... »

Comment dire ? Je reconnais bien là mon fils. Sacrée mémoire.

« Mais c'est très joli. »

Il contemplait les fleurs d'un regard étrangement adulte.

« J'ai le sentiment que ça m'a bien profité.

— Comment ça ?

— Ben, parce que, a dit Yûji en me regardant dans les yeux. Comme je me souvenais pas d'avoir vu ça avant, du coup, j'ai trouvé ça génial, non ?

— Aah, peut-être bien.

— C'est toujours comme ça. La première fois, ça fait de grosses émotions.

— C'est vrai. »

Le tapis d'hostas était parsemé, çà et là, de lys sauvages.

« Quel parfum sucré, a dit Mio. On en serait presque écœuré.

— Je me demande pourquoi elles sont si odorantes.

— Elles sont comme nous au lycée, tu ne trouves pas ?

— Ah bon ?

— *Il y a quelqu'un ? Recherche partenaire amoureux...*

— Je vois. »

Si elles cherchaient à attirer les insectes en vue d'une pollinisation, peut-être était-ce là encore un chant d'amour métaphorique.

Nous nous sommes glissés hors de la forêt.

Les ruines de l'usine se déployaient sous le ciel légèrement nuageux. La porte numéro 5 semblait petite.

« Quelque part... a dit Mio. Quelque part, j'ai comme le sentiment que ma vie a démarré ici. »

Yûji a déposé son vélo avant de déguerpir.

« Ça ne fait vraiment que deux semaines ?

— Oui...

— Mais ça a commencé bien avant cela. Tu vivais avec nous, Yûji et moi.

— C'est vrai. Je suis très heureuse de le savoir. »

Mio a déployé ses deux bras au-dessus de sa tête pour s'étirer le dos.

Et pourtant... a-t-elle ajouté.

« J'ai le sentiment que cela m'a bien profité.

— Ah bon ?

— Oui, parce que j'ai pu tomber amoureuse de toi à nouveau. »

Badaboum, badaboum, a fait Mio, les mains sur la poitrine.

Badaboum.

L'écho d'un battement de cœur.

Nous nous sommes remis à marcher, main dans la main.

« Tak-kuuuuun, s'est écrié Yûji. Regarde, un ressooooort ! »

Je lui ai répondu d'un signe de main.

« Un ressort hélicoïdal, ai-je expliqué à Mio. Rien d'exceptionnel. On peut en trouver, avec un peu de chance.

— Vraiment ?

— Hmm. Par contre, les pignons sont rares, alors quand on en déniche un, c'est un événement. Ceux qui en trouvent ont beaucoup de chance.

— Bon, moi aussi je vais en chercher, alors.

— Je t'en prie. Ce n'est pas si simple.

— Mais on a trouvé plein de trèfles à quatre feuilles, non ?

— C'est parce que c'est un endroit spécial.

— Tu crois ? Ou peut-être suis-je quelqu'un de particulièrement chanceux... non ?

— Sans doute. »

Yûji, maman va chercher avec toi. En disant cela, Mio s'est élancée à sa rencontre. Sa jupe évasée à imprimé floral dansait avec légèreté. Yûji lui a fait signe de la main.

Une scène bienheureuse.

Si c'est ce qu'elle pense, cela doit être le cas.

Et si c'est le cas, alors je veux qu'elle soit heureuse, jusqu'au dernier instant. Je n'ai jamais eu beaucoup de chance, mais Mio, en revanche, était une jeune femme à qui un sourire heureux allait bien.

Depuis la véranda de notre auguste appartement au premier étage, on pouvait voir le terrain vague situé juste en face, en contrebas. Yûji était occupé à y enterrer sa récolte de la journée. Quinze boulons, douze écrous, trois ressorts hélicoïdaux. Il n'avait pas trouvé de pignon.

Les cheveux dorés de Yûji scintillaient dans la lumière qui perçait entre les nuages.

« Quels beaux cheveux… a dit Mio à côté de moi.

— C'est vrai. C'est parce que c'est un prince anglais.

— Un prince anglais ?

— Mais oui. S'il se tenait là sans rien dire, on le prendrait pour un fils de bonne famille distingué. Comme un prince anglais…

— S'il se taisait ?

— Exactement, s'il se taisait. »

Mio a ri d'un air plaisant.

« Tu savais ? a-t-elle dit.

— Quoi donc ?

— Qu'il parle exactement comme toi… »

Après avoir réfléchi un peu, je lui ai répondu :

« Vraiment ? »

« Il est beau garçon.

— N'est-ce pas. Tout comme moi. »

Mio m'a jeté un coup d'œil, avant de poser de nouveau son regard sur Yûji, dans le terrain vague.

« Gentil, calme, docile.

— Un peu différent des enfants ordinaires, non ?

— Ça aussi, ça fait partie de son charme, je trouve. C'est une originalité précieuse.

— Tu crois ?

— Mais oui. Yûji est mon chef-d'œuvre, après tout. Qu'un enfant aussi exquis ait pu naître d'une personne aussi ordinaire que moi… je trouve ça extraordinaire.

— C'est bien ton fils. La moitié de sa magie, c'est de toi qu'il l'a reçue.

— Je n'arrive pas à y croire.

— C'est pourtant vrai, lui ai-je dit. Tu l'as oublié, c'est tout.

— Ah bon ?

— Hmm. Toi-même, tu étais exceptionnelle.

— Exceptionnelle ?

— Exactement, exceptionnelle.

— Et sa couleur de cheveux, elle vient de toi ? »

Mio fixait Yûji, les yeux plissés. Elle avait finalement renoncé à porter ses lunettes. Elle les avait bien essayées, mais les verres n'étaient pas à la bonne puissance.

« En effet, petit, j'avais les mêmes cheveux.

— Quelle jolie couleur.

— Hmm. Quand j'avais deux ou trois ans, ils étaient d'un doré encore plus clair. Et en hiver, j'avais les joues toutes rouges.

— Tu devais être mignon.

— Qui c'est qui est mignon ? »

Yûji nous regardait d'en dessous.

« Quelqu'un qui a toujours le nez qui coule, qui a pour passe-temps de ramasser des déchets inutiles, et pour manie de demander "Vraiment ?".

— C'est qui ? Quel drôle de type... »

17

Le mois venait de changer, et on venait de passer le milieu de la saison des pluies.

Depuis plusieurs jours, Nombre-sensei ne s'était pas montré au parc. Je disais qu'il était probablement retenu ailleurs, mais Mio ne faisait que remuer la tête, l'air contrit.

Quatre, cinq jours avaient passé, et Nombre n'apparaissait toujours pas. Pooh non plus.

« Il lui est peut-être arrivé quelque chose, ai-je dit.

— Sans doute. On devrait passer chez lui. »

Cependant, nous ne connaissions pas son adresse. Nous ne connaissions même pas son vrai nom.

« Quel âge a-t-il ?

— Je me le demande... Je pense qu'il doit avoir à peu près le même âge que mon chef, à l'étude.

— Alors, quel âge a ton chef ?

— Ça... je me le demande. »

Assurément, il devait avoir dépassé les quatre-vingts ans depuis longtemps.

« Tu crois qu'il est tombé malade ?

— Peut-être.

— On devrait demander à quelqu'un dans le parc.

— Bonne idée. »

Il y avait un jeune qui venait souvent au parc numéro 17 pour y lire en permanence le même livre.

Un jour, intrigué par sa lecture, je me suis approché suffisamment pour pouvoir lire la couverture ; il s'agissait du *Dictionnaire pratique du quotidien*. Le jeune homme a remarqué ma présence et m'a dit :

« Les choses importantes (il m'a montré le livre) sont toutes consignées dedans.

— Ah, je vois. »

Je lui ai même demandé ce qu'il faisait dans la vie, une fois.

« Je suis écrivain, a-t-il répondu en bombant le torse. Même si je n'ai pas encore publié un seul livre. »

Je vois.

Si l'on pouvait se proclamer romancier sans même avoir publié un seul opus, alors n'importe qui dans le monde pourrait s'arroger ce privilège. C'est pourquoi je lui ai dit, moi aussi :

« Je suis romancier, moi aussi. Mais je n'ai rien publié non plus.

— C'est ce que je pensais, a-t-il déclaré. J'ai reconnu l'odeur. »

Qu'est-ce que vous écrivez ? m'a-t-il demandé, à quoi j'ai répondu : *Je n'ai encore rien écrit.*

(C'était avant que je ne commence la rédaction de ce roman.)

« J'écrirai quelque chose. Sur les souvenirs que j'ai de ma femme.

— C'est bien… a-t-il dit. Les personnes qui ont décidé de ce qu'elles doivent écrire sont bien heureuses.

— Ah bon ?

— Moi, voyez-vous, j'ai bien des flashes d'inspiration, mais au final, tout est déjà écrit ici. »

À ces mots, il a désigné son *Dictionnaire pratique du quotidien*. J'ai ressenti de la pitié pour lui.

Ce jour-là encore, il était dans le parc numéro 17. Comme toujours, il était assis sur le banc le plus éloigné de l'entrée, occupé à lire son *Dictionnaire pratique du quotidien*.

J'ai dit à Mio et à Yûji de ne pas bouger tandis que j'allais à sa rencontre. Il s'en est aperçu et a levé le nez de son livre.

« Bonjour, lui ai-je dit.

— Ah, c'est vous !

— Oui, c'est moi. »

Se désintéressant immédiatement de la question, il est retourné à son livre. Je l'ai interpellé, déconcerté :

« Là… »

Il a relevé la tête.

« Qu'y a-t-il ?

— Vous connaissez le vieux monsieur qui s'assied toujours sur ce banc-là ? »

Je désignais le banc habituel de Nombre-sensei. Il a opiné nonchalamment du chef.

« Je le connais, oui, le vieux Toyama.

— Toyama ? C'est le vrai nom de Nombre-sensei ?

— Nombre ? »

Il a fouillé trois secondes dans ses souvenirs.

« Aah... a-t-il dit. Oui, bien sûr, Nombre-sensei... J'en ai entendu parler. C'est ça, c'est le vieux Toyama.

— Cela fait quelques jours qu'on ne l'a pas vu.

— J'ai entendu dire qu'il était chez lui, alité.

— Impossible !

— Je vous assure.

— Comment va-t-il ?

— Ses jours ne sont pas en danger. Une maladie du cerveau, ou du système sanguin ? »

Il a refermé son livre avec un bruit sec. Apparemment, la discussion avait fini par l'intéresser.

« Mais il y a eu toutes sortes de complications. Apparemment il ne retrouvera plus sa vie d'avant. »

Je me suis retourné pour regarder Mio. En voyant ma tête, elle s'est empressée de me rejoindre. Je devais avoir l'air sérieux. Yûji la suivait, un peu en arrière.

« Alors, le professeur ? » a-t-elle demandé.

Je lui ai répété les propos du jeune homme.

« Ce n'est pas vrai... »

Il a poursuivi.

« De plus, il semblerait qu'on ait décidé de l'envoyer dans un établissement situé dans une ville très éloignée. Il devait y aller dès sa sortie de l'hôpital.

— Qui s'est donc occupé des formalités ?

— Le chef du conseil de quartier. C'est un vieux mêle-tout. Il aime bien ce genre de choses.

— Comment savez-vous tout ça ?

— Je suis son fils. Le chef du conseil de quartier est mon père.

— Ah, je vois. »

Quoi qu'il en soit, j'ai demandé l'adresse de Nombre-sensei, et nous sommes partis du parc.

« Et Pooh ? a demandé Yûji.

— Ça va aller, a dit Mio. Ça va aller. »

« J'avais encore tellement de choses dont je voulais lui parler », ai-je dit.

Nous étions sur le chemin du retour.

« Tellement de choses.

— Je sais... »

Mio a donné un coup de pied dans un caillou sur le rebord du chemin.

« Tu as besoin du professeur, pas vrai ?

— Toi aussi, Mio.

— Oui, c'est vrai. »

Elle a acquiescé doucement.

« C'est juste. »

Mais, a-t-elle dit en levant la tête.

« Ce n'est pas comme si on ne pouvait plus le voir.

— Certes, mais...

— On devrait lui rendre visite.

— C'est impossible. Il a dit qu'il était loin.

— Ça va aller, a dit Mio. Ça va aller.

18

Le lendemain soir, nous sommes allés à l'adresse que nous avait donnée le jeune homme pour Nombre-sensei. La maison du professeur se situait dans un vieux quartier résidentiel, à dix minutes au nord du parc numéro 17.

C'était une vieille demeure en bois sans étage. Le genre de maison à la structure simple que l'on appelait souvent, autrefois, une résidence civilisée.

La maison était entourée de lilas d'été, d'hortensias, de lotus ou encore de kumquats. Juste à droite se trouvait un terrain vague, tandis que se dressait à gauche un autre immeuble ancien.

Ouvrant le portail en bois, nous sommes entrés dans le jardin. Des dalles se succédaient jusqu'à la véranda aux portes coulissantes. Yûji, qui ouvrait la marche, s'est écrié :

« Ah, Pooh est là ! »

Puis il a déguerpi au fond du jardin. Mio et moi nous sommes élancés à sa poursuite.

Pooh s'était réfugié sous la véranda ouverte, d'où n'émergeait que sa tête.

« Pooh ! » a appelé Yûji.

Pooh a levé la tête.

« ~ ? »

C'était un murmure plus ténu encore qu'à l'accoutumée. Tirant la langue, il respirait rapidement, par saccades.

Hah, hah, hah, hah, hah.

Yûji a passé son bras autour de la tête de Pooh avant de fourrer ses joues dans sa fourrure.

« ~ ?

— On dirait qu'il n'a rien mangé.

— On dirait, en effet. »

Apparemment, même si le chef du conseil de quartier fourrait son nez dans les affaires des autres, son intérêt ne s'étendait pas aux chiens.

« Si c'est comme ça, il vaut peut-être mieux l'envoyer en refuge ?

— Je veux pas ! a imploré Yûji en nous regardant. Jamais !

— Je sais… C'est pour ça, il faut le faire sortir de là.

— Vraiment ?

— Hmm. »

J'ai tiré sur la corde de son collier pour l'extraire de sa cachette.

« Allez, viens. »

Donne, m'a dit Yûji, et je lui ai tendu la laisse.

« Pooh, on y va ! »

Pourtant, en dépit des tractions de Yûji, il refusait de bouger.

« Pooh, même si tu restes ici, le professeur ne va pas revenir.

— ~ ?

— On y va.

— ~ ? »

Yûji a levé les yeux vers moi.

« Il dit qu'il veut pas.

— Hmm. »

Je me suis accroupi pour approcher mon visage de Pooh.

« Je trouve ton attitude admirable, lui ai-je dit. Si tu continues comme ça, peut-être qu'on érigera une statue en ton honneur devant la gare.

— ~ ?

— Mais, tu comprends, la vie, c'est plus que ça. Le professeur ne reviendra pas. »

Pooh a hoché la tête.

« Exactement, il doit partir très loin d'ici. »

C'est pour ça, lui ai-je dit.

« Cette attitude loyale est admirable, mais c'est à mon sens un comportement stérile.

— ~ ?

— Ce n'est pas ce que souhaiterait le professeur. Je pense qu'il voudrait que tu profites à fond de ta vie. »

Il a réfléchi, la mine sérieuse.

« Tu es un chien d'une grande sagesse. Alors je pense que tu dois comprendre. La séparation, c'est triste, et difficile. Mais tu ne peux pas te contenter de rester coincé là. »

Je me suis redressé, lui laissant le temps de la réflexion. Pooh a levé la tête pour me regarder avant de se tourner vers Yûji. Puis, comme si ce seul effort l'avait épuisé, il a relâché sa mâchoire. Tiré la langue, fermé les yeux.

J'ai regardé Mio. Elle a acquiescé doucement, comme pour suggérer d'attendre encore un peu. Yûji aussi contemplait la scène, silencieux.

Pooh a continué de haleter pendant un long moment sans me quitter du regard.

Finalement, il s'est levé. Dressant la tête, il m'a regardé.

« Tu t'es décidé ? »

Pooh a acquiescé (ou il en a eu l'air).

« Yûji.

— Hmm. »

Yûji s'est mis à marcher en tirant sur la longe. Pooh le suivait en silence. Émergeant des buissons, ils ont avancé jusqu'au portail que j'ai ouvert sur la rue. Yûji et Pooh m'ont dépassé pour sortir.

« Au revoir, alors, a dit Yûji.

— Il s'en est passé, des choses. C'est triste. »

Pooh s'est retourné pour contempler la demeure où il avait vécu de si longues années. Puis, tranquillement, il a levé haut la tête et laissé échapper un gémissement.

« *Fiouic ?* »

Comme un seul homme, nous avons tourné la tête, chacun dans une direction différente. Nous n'avions pas remarqué que ce bruit étrange, c'était le chien à nos pieds qui l'avait émis.

« *Fiouic ?* a geint une nouvelle fois Pooh.

— Pooh ! s'est exclamé Yûji. C'est Pooh !

— Il peut donc parler... »

Fiouic ?

C'était le bruit du vent filtrant par une fente étroite.

« Je me demande si c'est sa façon de dire au revoir...

— Sans doute.

— On dirait qu'il pose une question.

— Hmm. »

Fiouic ?

Étaient-ce là ses mots d'adieux à son maître soudainement disparu ? À moins qu'il n'ait voulu interroger le « quelqu'un » du firmament au sujet de son destin irrationnel ? Tourné vers le ciel, le chien hirsute privé de cordes vocales poursuivait sa complainte légère et triste.

Pour le moment, nous avions décidé de laisser Pooh passer une nuit dans l'entrée de notre appartement. Comme nous ne savions pas ce qu'il mangeait, nous lui avons offert du riz et de la salade de pommes de terre, qu'il a englouttis sans hésitation. Il avait sans doute très faim.

« La première chose à faire demain matin est de l'amener au centre animalier.

— On peut pas le garder à la maison ? a demandé Yûji.

— Ce n'est pas possible. Les animaux sont interdits dans l'immeuble.

— Dans ce cas, est-ce qu'on ne pourrait pas le confier à quelqu'un ? »

J'ai secoué la tête en silence.

« Il est déjà vieux. Et pour être honnête, il n'a pas fière allure.

— Et si on le laissait vivre dans un champ à proximité, en lui portant à manger ?

— Si on fait ça, à coup sûr, il va retourner dans son ancienne maison. Il finira de toute façon dans un refuge.

— Il est comment, ce centre animalier ?

— C'est une institution privée. On leur donne une certaine somme, et ils s'occupent de Pooh. Il aura plein d'amis. »

En principe, ils le prendraient en charge jusqu'à ce qu'on lui ait trouvé une famille d'accueil, mais dans le cas d'un vieux chien comme Pooh, ce serait probablement là sa dernière demeure.

« Il sera heureux là-bas, Pooh ?

— Ça, ça dépend de lui...

— Alors, il y en a qui sont malheureux ?

— C'est partout pareil. »

D'un regard qui indiquait une sérieuse réflexion, Yûji fixait Pooh qui mangeait sa salade de pommes de terre.

« Allez, on se lève tôt demain, ai-je dit. Dors bien.

— *Fiouic* ?

— Oui, toi aussi. »

Après le dîner, j'ai cherché le numéro de téléphone du chef du conseil de quartier pour l'appeler. Nous étions passés chez lui dans la soirée en nous rendant chez Nombre, mais il n'y avait personne.

Cette fois, il était chez lui.

Je lui ai demandé comment allait Nombre, et il m'a répondu que c'était une maladie du système sanguin dans le cerveau. Comme l'avait dit son fils, sa vie n'était pas en danger, mais il y avait apparemment eu des complications. Ses membres étaient encore partiellement paralysés, et il n'avait pas encore complètement retrouvé ses repères. Comme j'avais un jour de congé le lendemain, je lui ai dit que j'avais l'intention de lui rendre visite, mais il m'a dissuadé d'en rien faire.

« Il n'est pas encore en état de tenir une conversation. Ce serait dur pour tout le monde.

— Mais j'ai entendu dire qu'il serait envoyé dans un autre établissement...

— Pas dans l'immédiat. Il va encore rester un moment à l'hôpital. »

Je lui ai alors demandé l'adresse de l'hôpital, avant de le saluer et de raccrocher.

« Alors ? m'a demandé Mio.

— Il m'a dit de ne pas lui rendre visite tout de suite.

— Je vois.

— On ira ensemble, n'est-ce pas ?

— Quand ?

— Je n'en sais rien. »

Je vois, a dit Mio.

« Je viendrai. Je veux y aller avec toi. Je veux voir le professeur.

— Hmm. Un jour ou l'autre.

— Oui, un jour ou l'autre. »

Au réveil le lendemain matin, Pooh n'était plus là.

J'ai tout de suite compris que c'était du fait de Yûji. Ses petites chaussures, sorties du meuble de rangement, gisaient çà et là sur le sol en ciment.

Yûji était étendu dans son futon, encore endormi, mais il portait son ciré jaune par-dessus son pyjama. Il était sans doute sorti en pleine nuit, dans cette tenue.

« Yûji. »

Il s'est réveillé en sursaut au son de ma voix.

« Tak-kun... Bonjour. »

Je l'ai salué moi aussi, puis je lui ai demandé :

« Où est Pooh ? »

Yûji a détourné les yeux sans donner signe de réponse.

« Dis... »

Je me suis assis près de son oreiller.

« On en a parlé hier. Si on ne confie pas Pooh à un endroit correct, il finira dans un refuge de toute façon.

— Mais...

— Je comprends que tu aies envie d'être avec lui, mais il faut penser à lui, aussi. »

Yûji a levé la tête pour m'adresser un regard accusateur.

« Je pense à lui !

— Vraiment ?

— Hmm. Si c'est Pooh, il serait sûrement heureux de rester avec moi.

— C'est vrai… »

J'ai passé la main dans ses cheveux soyeux tout en acquiesçant.

« Mais, tu sais, on serait forcés de rester toujours sur le qui-vive.

— Le qui-vive ?

— Exactement. Même en mangeant, même pendant la sieste, on s'inquiéterait tout le temps. De peur que quelqu'un vienne nous l'enlever.

— Et ils feraient quoi s'ils l'enlevaient ?

— Si on l'enlevait, on l'emmènerait dans un refuge, ou au centre animalier.

— Et ensuite ?

— Il attendrait que quelqu'un d'autre vienne l'adopter.

— Et si personne ne vient ? »

Je n'ai pas su lui répondre. Je l'ai regardé dans les yeux sans rien dire.

« Et si personne ne vient ? » a-t-il répété.

J'ai secoué la tête en silence.

« Alors…

— C'est ça.

— Je veux pas, a répliqué Yûji. Je veux pas. »

Il s'est extrait de son futon et m'a conduit dans l'entrée en me tirant par la manche. Mio préparait le petit-déjeuner dans la cuisine.

« On revient tout de suite », lui ai-je annoncé, puis nous sommes sortis tous les deux. Comme

225

je le pensais, Yûji est allé directement sur le terrain vague en face de chez nous.

« Tiens ? a-t-il dit en regardant alentour.

— Qu'y a-t-il ?

— Ici, a-t-il dit en désignant un scooter abandonné. Je l'avais attaché avec sa laisse, mais il est plus là. »

Certes, la longe était bien nouée au scooter.

« Il s'est enfui. »

Mio, qui avait fini de préparer le petit-déjeuner, nous a rejoints pour chercher Pooh dans le voisinage, mais nous n'avons pas réussi à le trouver.

La pluie s'est mise à tomber chemin faisant, et nous avons vite été trempés, mais nous avons continué de chercher Pooh en dépit de tout. Nous sommes même allés voir la maison de Nombre, mais il n'y était pas non plus.

Rapidement, la pluie a gagné de l'ampleur.

« Qu'est-ce qu'on fait ?

— On ferait peut-être mieux de laisser tomber. À ce train-là, on va attraper froid.

— Tu as raison. Et puis, peut-être qu'il reviendra demain.

— Il reviendra plus, a décrété Yûji. Il reviendra plus jamais. »

Sur le chemin du retour, Yûji m'a demandé :

« Tu crois que Pooh va être attrapé et emmené dans un refuge ?

— Je me demande... Peut-être que quelqu'un de curieux va le recueillir.

— Mais, et s'il se fait attraper ?

— Voilà ce qu'on va faire. Je vais demander à ce qu'on nous contacte si jamais quelqu'un amène un chien hirsute qui fait "Fiouic". Si c'est le cas, on pourra aller le chercher. Et alors, on l'amènera au refuge, bien comme il faut. »

Yûji a esquissé un sourire de soulagement.

« Oui, bien sûr. D'accord, dans ce cas, ça va.

— On fait comme ça. »

Le lendemain, j'étais le seul à avoir de la fièvre. Mio comme Yûji me regardaient d'un air bizarre. Comme s'ils voyaient une personne qui avait attrapé froid en se lavant simplement la figure. Mon système immunitaire semblait de piètre qualité. On aurait dit le réseau de défense d'un pays au budget et aux effectifs réduits. Prompt à céder aux invasions.

J'attrape un rhume et de la fièvre dix fois par an, en moyenne. Il a juste fallu que cela tombe à ce moment-là. Rien d'exceptionnel.

Emmitouflé dans mon futon, j'ai mangé la pomme que m'avait épluchée Mio.

« Ouah, s'est exclamé Yûji. Trop bien...

— Toi aussi, tu y auras droit, si tu attrapes froid.

— Vraiment ? »

Ce fils si dévoué attrape rarement froid, cependant. Ce qui d'une certaine manière m'arrange grandement, en tant que père célibataire.

À contrecœur, Yûji est parti pour l'école, pétri de regrets.

« Tu veux manger autre chose ?

— Non merci. Je n'ai pas très faim.

— Je te prépare un jus de banane, alors. Tu le boiras, n'est-ce pas ? »

Je le boirai, lui ai-je répondu.

Mio s'est dirigée vers la cuisine. De là où je me trouvais, étendu sur le côté, je pouvais voir ses mollets bien développés. J'apercevais le creux de ses genoux, ornementé de petits vaisseaux, ainsi que la partie tendre juste au-dessus. Un spectacle qui stimulait le cœur.

Merveilleux.

Au bout d'un petit moment, elle est revenue, portant un plateau avec un verre couvert de condensation dessus.

« Tu as besoin de t'hydrater. »

Elle tenait l'extrémité de la paille, qu'elle a approchée de ma bouche. Tendant le cou comme une tortue, j'ai attrapé la paille et bu le mélange à base de banane, de lait et de miel. Une sensation de bien-être s'est répandue dans ma poitrine.

« C'est bon ?

— Très bon, ai-je répondu. Et puis, c'est agréable.

— Vraiment ? Même avec ta fièvre ?

— Hmm. Ce genre de choses, ça fait du bien. Il y avait longtemps que je ne m'étais pas senti aussi à l'aise.

— Détends-toi encore un peu. Tu le mérites.

— Hmm. »

Elle a sorti mes mains et pieds du futon un à un, puis elle m'a coupé les ongles.

« Dis... a-t-elle commencé.

— Qu'y a-t-il ?

— Tu devrais soigner un peu mieux tes ongles.

— Tu trouves ?

— Mais oui, tu es un adulte.

— Je n'en ai pas l'impression, pourtant.

— Ah bon ?

— Quelque part j'ai l'impression qu'on a toujours quinze ans, tous les deux, et que tout ceci n'est qu'un rêve qu'on est en train de faire, endormis sur nos tables dans la salle de classe.

— Ce serait bien...

— Tu crois ?

— Si c'était le cas, est-ce que tu me demanderais encore ma main ? »

Bien sûr, lui ai-je répondu.

« Si tu voulais bien d'un homme comme moi.

— Tant mieux », a-t-elle dit en se redressant pour aller dans la pièce voisine.

Au bout d'un moment, j'ai entendu sa voix.

« Je vais faire quelques courses.

— Vraiment ?

— Oui, il n'y a rien pour le dîner, entre autres.

— Hmm. »

Lorsqu'elle est revenue dans la chambre, ses yeux semblaient un peu rouges. La faute à l'émotion, peut-être.

Elle s'est touché le front pour vérifier ma température.

« Elle est assez élevée.

— C'est toujours comme ça. Mon corps réagit toujours de façon exagérée.

— Mais si tu ne fais pas attention, la fièvre ne te sera d'aucune utilité.

— Je sais.

— Je reviens vite.

— Hmm. »

J'attendrai, lui ai-je dit.

Quinze minutes environ après qu'elle fut sortie faire les courses, ma fièvre a grimpé en flèche. J'ai été pris de frissons, et un malaise indescriptible s'est répandu dans ma poitrine. J'ai tiré la couverture jusqu'à ma tête, mais les frissons n'ont pas cessé.

J'ai essayé de le supporter quelque temps, et rapidement mon sens de l'équilibre est revenu. J'ai pris le thermomètre à côté de mon oreiller et l'ai mis dans ma bouche. Au bout d'une minute, le bip électronique a retenti. Le petit écran à cristaux liquides indiquait 40,5 °C.

C'est alors que l'anxiété s'est emparée de moi. J'ai eu une vision de Yûji, stupéfié et choqué par ma mort.

Délire hypocondriaque.

L'hypocondrie, autrement dit le fait de s'inquiéter pour rien de l'odeur de son propre derrière, est pareille à un chien qui court en rond au même endroit. À la moindre provocation, les visions cauchemardesques commencent à passer en boucle.

La fièvre, puis les substances chimiques qui s'échappaient de mes valves déchaînaient mes illusions.

Je me suis rappelé un remède qui m'avait été donné à la clinique lors d'un précédent accès de fièvre. Comme j'essayais de réduire ma consommation de médicaments, je n'y avais pas encore touché. J'ai décidé d'en prendre par moi-même avant de perdre tout contrôle.

J'ai rampé hors de mon futon et me suis dirigé vers la cuisine. J'ai sorti le sachet du placard à vaisselle et détaché un comprimé pour le mettre dans ma bouche. Je me suis servi un verre d'eau et l'ai englouti. J'ai regagné mon futon, toujours en rampant.

Ça va aller comme ça. C'est ce que je me disais. La fièvre va tomber. Yûji ne va pas se retrouver tout seul.

J'ai tendu l'oreille à l'écoute de mon propre organisme, dans l'attente d'un changement.

Finalement, j'ai entendu le « clic » de mon interrupteur qui s'enclenchait. Quelque part entre mon cœur et mon estomac. Il y avait du bruit par là, assurément. Je ne l'ai su qu'après, mais c'était le son de mes capteurs qui réagissaient violemment à l'un des alcaloïdes contenus dans le remède.

Le monde s'est retrouvé sens dessus dessous. Les valves se sont ouvertes en grand, la jauge de niveau s'est affolée. Pourtant, les sécrétions chimiques continuaient d'affluer. Tous les muscles de mon corps se sont contractés, indépendamment de ma volonté.

Mes bras et mes jambes ont épousé des angles bizarres, mes doigts se sont serrés si fort qu'ils auraient pu plier des pièces de monnaie en deux. Mes pupilles étaient tellement révulsées que je voyais mon propre cerveau. Mon cœur jouait un Caprice de Paganini. C'était une pulsation suprêmement raffinée.

Généralement, dans ces moments-là, je me préparais à ma propre mort.

C'est à ce moment que Mio est rentrée de ses courses.

« Alors, cette fièvre ? »

Ce qu'elle a vu en entrant dans la chambre tandis qu'elle me posait cette question, c'était ma silhouette, enflée comme une crevette séchée et regardant dans une direction impossible.

« Chéri ! »

Tandis qu'elle accourait à mon chevet et me prenait dans ses bras, j'ai pensé à dire :

« Am... bu... lance... »

Elle a acquiescé, rajustant doucement la couverture sur moi, et s'est précipitée sur le téléphone pour composer le 119.

« Elle arrive tout de suite. »

J'ai dit *compris*.

J'ai essayé de regarder son visage, mais je ne parvenais pas à le faire entrer dans mon champ de vision. Les seuls éléments qui se reflétaient dans mes yeux étaient le plafond et le papier peint défraîchi.

Revenue près de moi, Mio m'a pris à nouveau dans ses bras et m'a caressé les cheveux.

« Voyons... qu'est-ce que je peux faire ? Qu'est-ce qui pourrait te faire sentir mieux ? »

Comme ça, c'est bien, lui ai-je dit.

J'avais du mal à respirer, et je ne pouvais élever la voix au-dessus du murmure. J'ai finalement réussi à lever la main droite pour la présenter devant elle. Mio a serré doucement mon poing tremblant.

J'ai peur, lui ai-je dit.

« Ça va aller. Ça va. L'ambulance ne va pas tarder. »

J'ai acquiescé.

J'ai fermé les yeux de douleur. La Terre tournait environ vingt fois plus vite qu'à l'accoutumée. Si Mio n'avait pas été là pour me retenir, la force centrifuge m'aurait sans doute expédié hors du système solaire.

Soudain, une énorme vague s'est abattue sur moi, et j'ai pris une profonde inspiration.

« Qu'est-ce qui se passe ?! »

Elle a approché sa bouche de mon oreille.

« Tu n'arrives pas à respirer ? Ça te fait mal ? »

{Désolé}, ai-je murmuré.

« Pourquoi ? Pourquoi est-ce que tu t'excuses ? »

{Je n'ai pas pu tenir ma promesse.}

« Quelle promesse ? »

{Je t'avais dit qu'on ferait un voyage ensemble.}

Dans mon état de confusion mentale, j'avais oublié que la Mio présente à ce moment-là était un fantôme. Elle était l'épouse qui avait vécu avec moi toutes ces années.

{J'avais dit qu'on retournerait voir les feux d'artifice ensemble.}

Sûrement. Un jour.

Oui, a-t-elle dit.

Après, elle esquissait toujours un sourire un peu esseulé.

Peut-être savait-elle que cela resterait un rêve inaccompli.

« Dans ce cas, on ira. D'accord ? On ira ensemble. Alors, accroche-toi. »

Ma confusion mentale n'a fait qu'empirer.

Sa voix semblait éloignée.

{Désolé de te causer autant de soucis.}

« Ce n'est rien. Tu n'as pas à t'en inquiéter. Tu devrais arrêter de parler. »

J'ai entendu un minuscule toc sur mon front. Peut-être étaient-ce les larmes de Mio qui tombaient.

Elle a embrassé mes paupières closes.

« Allez, respire doucement, sans forcer. »

Cependant, je ne pouvais m'arrêter de dire tout ce que j'avais à lui dire.

[Je te confie Yûji.]

[Il me ressemble beaucoup, alors sans doute en arrivera-t-il au même point.]

[La vie est dure, alors... alors...]

[Alors... alors...]

Ma perception de mon environnement immédiat s'estompait à mesure que ma confusion empirait.

Où étais-je donc ? Je ne le savais même plus.

Je... Je... Je...

J'ai dit :

« Heureux d'avoir été à tes côtés. C'était sympa. Merci. »

Et puis :

« Au revoir. »

21

Dans l'ambulance en route pour l'hôpital, ma conscience s'est éclaircie rapidement. Les substances chimiques qui affluaient dans mon sang se transformaient en quelque chose de plus doux, d'inoffensif.

J'ai soudain remarqué que j'étais dans un véhicule, ce qui ne m'était pas arrivé depuis longtemps, mais je n'en ai conçu nulle angoisse. Les ambulances constituaient le moyen de locomotion dans lequel je me sentais le plus en sécurité.

« Ça va mieux, ai-je dit à Mio qui me tenait toujours la main.

— C'est vrai ?

— C'est vrai. »

J'ai desserré le poing, puis l'ai refermé.

« Regarde, ai-je dit. Je peux bouger. »

La paume de ma main portait encore de profondes marques d'ongles. Si Mio ne m'avait pas coupé les ongles, peut-être les blessures auraient-elles été plus graves.

« Aah, a-t-elle soupiré. Tant mieux...

— Désolé. Je t'ai causé bien du souci. »

Elle a acquiescé doucement et esquissé un sourire de soulagement.

« Grâce à toi, ma vie vient de raccourcir. »

Ce n'est qu'un peu plus tard que j'ai su que c'était là son sens de l'humour, empreint d'ironie.

Après avoir écouté mes symptômes, le médecin m'a immédiatement fait une prise de sang pour dépister une éventuelle allergie. Au final, il n'y avait aucun problème. Le médecin m'a contemplé comme s'il avait devant lui un malade imaginaire. Je suis habitué à ce regard. Comme ma fièvre élevée ne faisait aucun doute, j'ai d'abord reçu une injection de solution de Ringer, puis je suis rentré à la maison.

Nous avons pris un taxi, mais je n'ai pas ressenti d'angoisse particulière. Peut-être mon habituel stock de substances chimiques avait-il diminué.

De retour à l'appartement, j'ai dû prendre un bain glacé. Ordre du médecin.

« Tu n'as pas froid ? m'a demandé Mio.

— Non, ça va. C'est agréable. J'ai l'impression d'être Hibernatus.

— C'est qui, cet Hibernatus ?

— C'est le nom qu'on a donné à un homme endormi dans un glacier depuis plus de 5 000 ans.

— Il a dû en faire, des rêves…

— Sans doute. »

Mio a sorti un yaourt nature du réfrigérateur et l'a agrémenté de miel avant de le poser à côté de mon oreiller.

« Tu veux manger ?

— Hmm. Je vais essayer. »

Elle a pris un peu de yaourt à l'aide d'une cuiller qu'elle a approchée de mes lèvres. J'ai incliné la tête et l'ai mise dans ma bouche.

La sensation de fraîcheur était agréable. L'arôme du miel remontait jusqu'à mon nez.

« Tu as déjà eu ce genre d'attaque avant ? m'a demandé Mio.

— Plusieurs fois, lui ai-je répondu. C'est la troisième fois qu'on m'emmène en ambulance.

— Et les deux dernières fois aussi, je t'ai accompagné ?

— En effet. Hmm, c'est ça. La dernière aussi, c'est toi qui as appelé l'ambulance. Et je crois que c'était en pleine nuit, à chaque fois. »

La cuiller toujours à la main, elle a regardé longuement par la fenêtre. Il était difficile d'évaluer ses réflexions intimes d'après son profil. Simplement, je pouvais ressentir les tourments de son cœur rien qu'en voyant le petit tremblement nerveux qui agitait sa cuiller.

Comme c'était une femme pragmatique, je supposais qu'elle aborderait ces peines avec pragmatisme.

De sa voix habituelle, claire et aiguë, qui tremblait un peu sur la fin des mots, elle m'a dit :

« Je me demande qui aurait bien pu t'emmener à l'hôpital si je n'avais pas été là... »

Cela aurait pu m'échapper, car j'écoutais distraitement, et elle l'avait dit sur un ton nonchalant. Comme si elle se plaignait de la façon dont le linge avait séché, ou ce genre de choses.

« Eh ? » ai-je laissé échapper.

J'avais le sentiment d'avoir entendu quelque chose d'important. Elle m'a regardé en souriant. C'était un sourire très triste.

« Je me fais du souci pour toi. »

Puis elle a porté une nouvelle cuillerée de yaourt à mes lèvres. Je m'en suis rempli les joues, savourant l'acidité du yaourt. Je lui ai ensuite demandé :

« Ne viens-tu pas de dire "si je n'avais pas été là" ? »

Elle a hoché la tête d'un air mutin. Les yeux grand ouverts, comme pour dire « Comment ça ? ».

« Là, à l'instant.

— C'est vrai... Si la saison des pluies prend fin. »

En entendant ces mots, j'ai soudain compris.

« Tu as recouvré la mémoire ? »

Elle s'est contentée de secouer lentement la tête.

« Toujours pas. Même si j'aimerais bien.

— Alors...

— J'ai lu le livre. Celui que tu as écrit. »

Elle était tombée dessus par hasard, selon ses dires.

« La boîte à chaussures est tombée pendant que je rangeais le placard, et il était dedans. »

J'ai acquiescé.

Tout était caché là. Le carnet dans lequel je consignais mon roman. Mais aussi toutes sortes de documents qu'il ne fallait pas qu'elle voie. Comme des factures d'hospitalisation, des formulaires de concession funéraire, bref, tout ce qui concernait son décès.

J'aurais dû mettre tout cela dans un endroit totalement hors de portée, mais dans cet étroit appartement, il n'y avait pas d'endroit totalement hors de portée.

« Tu le sais depuis quand ? lui ai-je demandé.

— Ça fait une semaine environ.

— Pardon. Je ne m'en étais pas rendu compte.

— Ce n'est rien. Je pensais pouvoir tenir ma langue. Faire comme si je n'avais rien remarqué.

— Hmm.

— Mais j'avais quand même le sentiment que je devais agir comme il faut.

— Comme il faut ?

— M'assurer que vous pouviez vivre convenablement, tous les deux, et puis je voulais aussi vous faire mes adieux.

— Si je te disais que ce roman n'est qu'un mensonge, tu me croirais ? »

Elle a secoué doucement la tête en esquissant un sourire triste.

« Comment dire... C'est seulement en lisant ce livre que j'ai pu saisir. Que j'ai pu comprendre la raison de cet inconfort que je ressentais en permanence.

— De l'inconfort ?

— Le sentiment que je n'existais pas dans ce monde. Il m'accompagnait partout. Une fois que j'ai su, une partie de moi en a été soulagée. *Aah, je viens donc d'Archive...* »

Puis elle a ajouté :

« Il faut dire que votre comportement à tous les deux était louche. Et puis, il t'arrivait de parler de nous comme s'il s'agissait du passé. »

Je n'en savais rien. Je n'en savais rien, mais elle avait tout compris. Mon roman s'arrêtait au moment où elle était venue dans cet appartement. Pourtant, cela avait suffi. Pour le reste, il y avait tous ces documents.

« C'est pour mon bien que tu ne m'as rien dit ? »

Je restais muet.

Ne fais pas cette tête, m'a-t-elle dit.

« Ça va aller, tu sais.

— Tu dis toujours ça.

— Parce que je suis avec toi. »

C'est parce que je suis avec toi que j'ai le cœur serein.

« Je voudrais qu'on soit toujours ensemble.

— Moi aussi. Mais, sûrement…

— Tu peux en décider toute seule ?

— Je ne sais pas. Je ne sais rien. Mais je te l'avais bien dit. Que je reviendrais avec la saison des pluies. »

C'est pour ça, sûrement…

« Je pense que lorsque la saison des pluies sera terminée, je devrai repartir.

— Reste ici, pour toujours.

— Qu'est-ce que je suis censée faire ? »

Elle posait une question sérieuse. Plus que quiconque, elle voulait en avoir la réponse.

« Tu veux bien me le dire ? »

Je n'ai pas su répondre. Personne, sans doute, n'aurait pu le faire. Peut-être y avait-il quelqu'un qui savait, mais il ou elle était resté bouche cousue.

« Mais il y a une chose qui me tracasse et que je n'ai pas pu te dire, lui ai-je annoncé.

— Quoi donc ?

— Ne devrais-tu pas voir tes parents au moins une fois ?

— Pour quoi faire ? Leur dire *Coucou, c'est moi* ?

— Ça ne serait pas faisable…

— Remarque, ça s'est bien passé, avec Nombre-sensei.

— Oui, mais… »

Elle a dit qu'il ne valait mieux pas qu'elle les revoie.

« Mon amnésie risquerait de nous laisser des regrets inutiles.

— Tu crois ? »

Elle a acquiescé.

« Je ne me souviens même pas du visage de mon père ou de ma mère. Et même si je les voyais, je n'aurais rien à leur dire. Ce serait dur.

— Vraiment ?

— Oui, à coup sûr. Ça ne fait rien, moins on sera tristes et mieux ce sera, non ?

— Vraiment ?

— Oui, à coup sûr. »

Puis, comme si elle venait de se rappeler quelque chose, elle a ramené une boîte de biscuits de la pièce du fond.

« Aah, ça…

— Ça aussi, je l'ai trouvé en même temps.

— J'avais oublié. Voilà donc où elles étaient passées… »

Des photos.

« Tiens. »

Elle en a sorti une et l'a présentée devant mes yeux.

« On dirait quelqu'un d'autre. »

C'était une photo de notre mariage. Elle en robe blanche de mariée, et moi en smoking. Elle souriait légèrement, tandis que j'avais l'air nerveux, le visage blanc comme du papier.

« Jolie…

— Moi ?

— Bien sûr. »

Elle m'a remercié.

« Toi, tu n'as pas l'air bien.

— C'était juste avant que je perde connaissance. Tout au long de la cérémonie, tu n'as pas arrêté de me demander "tout va bien ?"

— C'était pénible ?

— Comme d'habitude. Mais j'ai tenu le coup.

— Merci.

— Du tout. »

La deuxième photo était un cliché de groupe pris devant la chapelle.

« Voici ton père et ta mère, ainsi que ta sœur et ton frère cadets, l'ai-je informée en les lui montrant du doigt.

— Ils ont l'air gentil.

— N'est-ce pas ?

— Mais c'était une toute petite cérémonie... Tous les invités sont là ?

— Oui, ils y sont tous. Que les proches. Et le grand homme qui apparaît juste derrière nous, c'est le prêtre.

— Un étranger...

— Oui, un certain Bardman. Il parle très bien japonais.

— C'est devant lui qu'on a échangé nos vœux ?

— En effet.

— Et est-ce qu'on les a tenus, ces vœux ?

— Absolument. Tu veux dire, s'aimer "pour le meilleur et pour le pire" ?

— Voilà.

— C'est ce qu'on a toujours fait. »

Elle a ensuite sorti toute une série d'instantanés qui retraçaient notre quotidien à tous les deux dans cet appartement.

« J'ai un gros ventre sur cette photo.

— C'était Yûji.

— J'avais le visage gonflé.

— Hmm, c'est à partir de cette période que ta santé a décliné.

— Ah, c'était donc ça. »

« Et ça, c'est Yûji juste après sa naissance, non ?

— Drôle de tête.

— Ne dis pas ça. Tu ne le trouves pas mignon ?

— Disons que celle-ci est un peu...

— Certes, a-t-elle dit. C'est vrai qu'elle est un peu...

— Au bout de six mois environ, il s'est mis à changer petit à petit. Ses cheveux ont poussé, la forme de ses yeux s'est affirmée.

— Et cette photo ?

— Oui, c'est à cette période.

— En effet. Un vrai prince anglais.

— À n'en pas douter.

— Ah, sur celle-ci il a les mains pleines de boulons.

— Maintenant que j'y pense, il a toujours adoré ça. C'est une habitude qu'il a eue toute sa vie.

— Il n'a pas changé du tout, n'est-ce pas ?

— Il est du genre à mûrir lentement. Comme moi.

— Tu crois ?

— Moi aussi, il me reste encore des dents de lait, et je n'ai pas une seule dent de sagesse.

— Quelle éclosion tardive.

— Oui, d'ailleurs, je n'ai pas encore eu la rougeole. »

J'ai fini par m'endormir, rattrapé par la fatigue.

Lorsque je me suis réveillé, elle n'était pas dans la chambre.

« Mio ? l'ai-je appelée, anxieux.

— Tu es réveillé ? a-t-elle demandé en entrant dans la pièce. Tu veux qu'on prenne ta température ? »

J'étais redescendu à 38,1 °C.

« Ah, tant mieux. La fièvre est tombée.

— Hmm. Je me sens beaucoup mieux. »

Dis, a-t-elle murmuré.

« Qu'est-ce que tu feras à l'avenir, si tu as de nouveau une attaque du même genre ? Je ne serai plus là.

— Tout ira bien. Ces attaques ne sont pas fatales. Elles me font mal à en mourir, et j'ai toujours l'impression que je vais succomber, mais au final, je suis toujours là.

— Mais tu ne pourras rien faire si tu es tout seul.

— J'ai Yûji, l'ai-je rassurée. Aujourd'hui, il se trouve que cela s'est passé dans la journée, mais les crises les plus sérieuses se produisent toujours au milieu de la nuit. Alors, Yûji sera là. »

Il ne paie pas de mine, ai-je ajouté, ce à quoi elle a acquiescé, après un moment de réflexion.

« Certes, mais…

— Et puis, je ne reprendrai plus jamais de cet antipyrétique. C'est à cause de ce médicament si j'ai eu cette attaque. Si je n'en prends plus, tout ira bien.

— La liste des choses à ne pas faire s'allonge un peu plus.

— C'est vrai. Mais c'est important de savoir ce qu'on ne peut pas faire. C'est quand je fais sans le savoir quelque chose que je ne devrais pas faire qu'il m'arrive des problèmes.

— Comme aujourd'hui ?

— Exactement. »

Elle m'a dit se faire quand même du souci.

« Cela m'inquiète terriblement, de te laisser tout seul.

— Tu as toujours été comme ça.

— Que veux-tu dire ?

— À te faire du souci pour moi, en négligeant ta propre santé.

— Je suis comme ça, c'est tout.

— Mais, tu sais...

— Quoi donc ?

— Non. »

J'ai remué la tête.

« Ce n'est rien. »

Au bout d'un temps, j'ai fini par ne plus sentir de fièvre. Une fois la douleur disparue, la solitude est venue s'immiscer à sa place dans ma poitrine.

« Mio », l'ai-je appelée.

Elle était assise près de mon oreiller, occupée à écosser des haricots.

« Qu'y a-t-il ?

— Viens, ai-je dit. Ici. »

Elle m'a regardé dans les yeux, avant de contempler les haricots dans sa main. Ses yeux m'ont rappelé la jeune fille qui soufflait sur ses mains glacées, sur le quai de cette gare. Après avoir hésité quelques secondes en silence, elle a dit ceci :

« Si tu le permets. »

« Ouah ! Que c'est froid !

— Ah, c'est vrai. »

J'ai sorti les poches de glace qui m'entouraient dans le futon.

« Ça devrait aller mieux comme ça.

— Toi aussi, tu es gelé.

— Hibernatus !

— Oui, exactement. »

J'ai passé les mains autour de sa taille de guêpe pour l'attirer à moi. Elle a eu un court sursaut, comme en signe de résistance, mais elle s'est bien vite détendue. Avant de fourrer sa tête au creux de mon cou.

« Voilà, comme ça, ai-je dit.

— Quoi donc ?

— La meilleure position.

— Comme ça ?

— Voilà, exactement.

— C'est ce qui me vient tout de suite, sans y penser.

— Parce qu'on est un couple. »

C'est donc pour ça, a-t-elle plaisanté. Peut-être ressentait-elle quelque embarras.

« On aurait dû le faire plus tôt, a-t-elle dit en m'embrassant dans le cou. Un amour de six semaines à peine.

— Qu'allons-nous faire ? » ai-je demandé.

Ceci, a-t-elle dit.

« Juste ceci. »

Yûji est rentré avec un « Coucou ».

« Maman ? »

À peine nous étions-nous détachés que Yûji pénétrait dans la chambre à coucher. Voyant ses deux parents enlacés dans un futon, en proie à la panique et à la confusion, il a ajouté :

« Ahlàlà. »

22

Peu à peu, Mio a commencé ses préparatifs pour quitter ce monde. Tout ce qu'elle faisait visait à nous permettre de mener correctement notre vie, Yûji et moi. Elle disait qu'elle lui parlerait le moment venu, mais en attendant elle continuait à faire comme si de rien n'était. Elle a lu des livres et fait beaucoup de recherches sur les problèmes qui m'accablaient. Puis elle a pris le train pour un voyage de deux heures, dont elle est revenue munie de trois petits flacons teintés.

« Des huiles essentielles, m'a-t-elle expliqué. Lavande, eucalyptus et bois de santal.

— Qu'est-ce que je dois en faire ?

— Tu laisses simplement le parfum flotter.

— C'est tout ? »

Elle a acquiescé.

« C'est comme ces fameuses substances chimiques dont tu parles tout le temps. Elles entrent dans ton corps et se mettent en marchent. Elles te disent de te détendre.

— Et si ça ne marche pas ?

— Dans ce cas... »

Elle a réfléchi un instant, avant de dire :

« Tu n'as qu'à chanter.

— Chanter ?

— Oui, ce genre de chanson :

Un éléphant jouait
Pris dans une toile d'araignée
Et il s'amusait tellement
Qu'il a appelé un deuxième éléphant

— Ah... Je la connais. Yûji me l'a apprise.

— Yûji ?

— Il m'a dit que tu la lui avais apprise.

— S'il le dit...

— D'où est-ce que tu connais cette chanson ?

— Je ne me le rappelle pas, mais... a-t-elle dit. Ça m'est revenu d'un coup. Je lui ai dit de la chanter dans les moments difficiles.

— Toi aussi, tu devais la chanter, sans doute.

— Oui, dans les moments difficiles. »

Mio a versé une goutte d'essence de lavande sur un mouchoir en papier. Je l'ai accepté et l'ai approché de mon nez.

« Alors ?

— Hmm. Ça sent bon. C'est la première fois que je renifle cette odeur, ai-je dit. Mais c'est bizarre... Quelque part, ça me rend nostalgique.

— Que veux-tu dire ?

— Je ne suis pas sûr, dans mon enfance...

— Ton enfance ?

— Ah, je sais. »

J'ai reniflé le mouchoir une nouvelle fois.

« C'est ça, petit, je sentais cette odeur quand je jouais de l'harmonica.

— De l'harmonica ? Il avait ce parfum ?

— C'était l'harmonica que m'avait donné mon cousin, un énorme machin en acier avec deux rangées de trous. C'est l'odeur qui se répandait au fond de mes narines quand je collais mes lèvres sur le métal. »

Elle n'a pas eu l'air convaincue par mes élucubrations, mais elle m'a tendu un deuxième mouchoir, imprégné de santal.

« Ah, ça je reconnais.

— Oui ?

— L'éventail de grand-mère.

— Qu'est-ce que c'est que cette histoire ?

— Pas d'erreur possible. C'est le parfum de l'éventail de ma grand-mère. Il n'y en a pas deux comme ça. »

Elle a hoché la tête un moment, puis elle a joint les mains avec un « Ah ! ».

« Peut-être bien.

— Ça te dit quelque chose ?

— Le santal, c'est du cèdre blanc, non ?

— Hmm. Et donc ?

— Beaucoup d'éventails ont des armatures en cèdre blanc.

— Ah, je vois… »

Bon, suivant, a-t-elle dit en essayant l'eucalyptus.

« C'est l'odeur du menthol. Ça ne peut être que ça. »

Elle a acquiescé après l'avoir senti à son tour.

« C'est vrai. Je suis d'accord. »

C'est pour tes rhumes chroniques, a-t-elle dit.

« Tu peux en mettre une goutte dans de l'eau et te gargariser avec. Ou tu peux la diluer dans une huile de support pour t'en enduire la gorge.

— Entendu, je le ferai.

— Comme tu ne peux pas prendre de médicaments, tu dois faire attention à ne pas prendre froid.

— Hmm.

— Ta maladie a affaibli ton système immunitaire.

— Vraiment ?

— Vraiment. C'est pour ça, tu dois faire plus attention que les autres. Tu ne dois pas manger de plats tout prêts, non plus, tu dois préparer tes propres repas, comme il faut.

— Hmm.

— Et mange bien tes légumes. Même si Yûji dit qu'il n'aime pas ça, tu dois veiller à ce qu'il en prenne aussi.

— Ça va aller. Compte sur moi. »

Mio a réfléchi un moment tout en regardant fixement mon visage. Mais il était certain que je ne me reflétais pas dans ses yeux. Tout du moins pas le moi actuel. C'était le moi de dans six mois et plus qu'elle contemplait.

Puis elle a dit :

« C'est vrai.

— Ah bon ?

— C'est à Yûji, plutôt qu'à toi, que je ferais mieux de dire tout ça.

— C'est-à-dire, ai-je répondu, que tu lui fais plus confiance qu'à moi ?

— Pour certaines choses, oui, tu ne crois pas ? »

Elle a fait un rapide signe de tête.

« Je te l'ai déjà dit, n'est-ce pas... Une moitié de Yûji vient de moi. J'ai le sentiment que cette moitié-là est quelqu'un sur qui on peut compter.

— Et l'autre moitié, alors ? »

Eh bien… Mio a réfléchi quelques instants.

« Eh bien… elle se charge de la gentillesse ?

— Ah, je vois. »

À partir de là, Mio a commencé à inculquer à Yûji toutes sortes de rudiments domestiques. Comment utiliser un couteau de cuisine, comment bien choisir ses aliments, comment il fallait d'abord battre le linge propre avant de le mettre à sécher, ce genre de choses.

Par chance, Yûji semblait avoir l'étoffe d'une parfaite petite ménagère.

J'avais le sentiment de n'être qu'un vacataire, en marge des titulaires. Un vétéran, assis sur un banc, qui regarde les jeunes recrues recevoir des conseils du coach concernant leur jeu de mains ou de jambes. Tout en rongeant le bord de sa serviette de jalousie.

Pourquoi est-ce toujours lui !

C'était cependant inattendu. Jusqu'à présent, il m'avait toujours aidé dans l'entretien de la maison, mais comme il apprenait en observant son père maladroit, sa technique n'était pas très au point non plus. Alors qu'à présent, sous la tutelle d'une parfaite éducatrice, ses talents naturels se révélaient d'un coup.

Le moins que l'on puisse dire était qu'une moitié de lui venait de Mio. Celle qui demandait toujours distraitement « Vraiment ? », en revanche, était sans doute de ma responsabilité.

Enfin, ce n'est pas très grave.

Le soir, lorsque Yûji regardait les dessins animés à la télé, je m'entraînais à tracer des caractères.

« Maintenant que j'y pense, avant aussi, je le faisais, parce que tu me l'avais conseillé.

— Vraiment ?

— Tu veux dire... "tout ça pour ça" ?

— Plus ou moins.

— Je m'en doutais un peu. »

Elle souhaitait que je termine le roman. Lorsque je lui ai dit mon intention de le faire lire à Yûji, elle en a été très heureuse.

« Le petit bonhomme n'a que six ans. Il aura sans doute vite fait de tout oublier. »

C'est pour ça, disait-elle.

« Je trouve cela bien d'en laisser une trace écrite. De notre rencontre, mais aussi de ce que nous sommes devenus. »

Mais pour cela, il fallait avant tout que j'écrive assez lisiblement pour que Yûji puisse déchiffrer mes caractères. En d'autres mots, voilà la raison.

« Mes notes étaient difficiles à lire ?

— Oui. Je n'irais pas jusqu'à les comparer à la pierre de Rosette, mais ce n'était pas évident.

— Ah, bon. »

« Tu sais, quand Yûji était encore bébé...

— C'était il y a bien longtemps. Imagine comme ton écriture serait limpide aujourd'hui, si tu avais continué.

— Je l'ai fait pendant trois mois environ. Mais c'est à cette époque que Yûji a commencé à ramper partout, alors j'ai fini par arrêter.

— Il venait te déranger ?

— Oui, ou en tout cas ça l'intéressait drôlement. Il s'approchait, avec l'air de me demander "Qu'est-ce que tu fais ?", pour essayer d'attraper mon stylo-bille.

— Comme c'est mignon !

— Oui, bien sûr, mais bon, à la millionième fois, ça finit par prendre la tête. Pourquoi est-ce que les bébés répètent sans cesse la même chose ?

— C'est peut-être parce qu'ils oublient tout de suite ce qu'ils viennent de faire, non ?

— Peut-être bien. Bref, ça m'agaçait tellement que j'empilais des montagnes de futons pour m'en faire des tranchées et des parapets, mais cela n'empêchait pas Yûji de les escalader en gloussant.

— C'était un bébé plein d'énergie.

— Ça, oui. Tout ça parce qu'il buvait ton lait spécial par dizaines de litres. Il en tirait une puissance digne d'un Roger Bannister à son sommet.

— C'est qui, ça ?

— Un homme que je connais bien.

— Ah bon ?

— Mais lui ne me connaît pas...

— C'est bien ce que je pensais. »

Si vous voulez tout savoir, Roger Bannister a été le premier humain à descendre en dessous des quatre minutes sur 1 500 mètres. Un magazine l'a même inclus dans sa liste des cent personnes les plus marquantes du XXe siècle. La comparaison est plutôt flatteuse pour Yûji.

23

Le week-end venu, nous sommes allés nous dégourdir les jambes au jardin botanique.

J'avais pris le vieux Minolta que m'avait transmis mon grand-père, il y a très longtemps.

« Je me demande si j'apparaîtrai vraiment.

— Ne t'en fais pas. Tu y seras, sans faute. »

Comme toujours, tu étais installée à l'arrière de mon vélo tandis que je pédalais. Yûji suivait derrière, sur son vélo d'enfant.

« Tu n'utilises plus ton scooter ? m'a demandé Mio.

— Hmm. Il y a longtemps que je l'ai revendu. La peur m'empêchait de monter dessus.

— Ce n'est pas plus mal. C'est dangereux, le scooter.

— Pourtant, tu t'y étais bien habituée. Même sans ceinture.

— Et puis, a ajouté Mio, pas d'air-bag non plus.

— En effet. »

Il y avait longtemps que nous n'étions pas venus au jardin botanique. Lorsque Mio allait encore bien, nous nous y rendions une fois par mois.

Nous avons garé nos vélos à l'entrée et franchi le portail pour pénétrer dans l'enceinte du parc. Le chemin pavé s'étirait sur une cinquantaine de mètres. Une pancarte se dressait sur la pelouse à notre droite.

Fleurs visibles en cette période, annonçait-elle, avec une dizaine de noms d'espèces accrochés en dessous.

Commelina communis, raphanus sativus, lysimachia clethroides, campanules...

« C'est écrit *hosta sieboldiana* », s'est écrié Yûji d'un air heureux.

Sa voix résonnait dans le parc désert.

« Il y a plein de *hosta* dans ce parc. Des *hosta sieboldiana*, et aussi des *hosta montana*, et des *hosta undulata*, il y en a plein !

— Tu t'y connais, dis donc.

— C'est toi qui lui as tout appris.

— Ah bon ?

— Hmm. Tu connaissais environs deux cents noms d'espèces de fleurs. Ou était-ce plus ? En tout cas, tu adorais les fleurs.

— J'ai l'impression de m'en souvenir, mais...

— Avançons plus loin. Il y a un endroit que tu aimes beaucoup. Ça te reviendra peut-être.

— Oui, peut-être. »

Nous marchions lentement parmi les arbres.

« Celui-ci, c'est un marronnier du Japon. »

Je nommais et désignais un à un les arbres à côté desquels nous posions. Bien sûr, c'étaient là encore des noms que m'avait appris Mio.

« Celui-là, c'est un chépakoi, a gloussé Yûji.

— Un chépakoi... Bizarre.

— Il me semble qu'on l'appelle *chionanthus retusus*. »

Et ça, c'est un tulipier.

« Un tulipier ?

— Oui, mais ce n'est pas une tulipe. Au printemps, il porte des fleurs qui ressemblent à des tulipes. Tu venais souvent au moment de sa floraison.

— Et moi ?

— Tu venais aussi. Depuis tout petit, quand tu étais encore dans ta poussette.

— Vraiment ?

— Vraiment. »

Nous avons continué dans le sens inverse des aiguilles d'une montre. Au cœur du parc se trouvait une glycine. Sous nos pieds s'épanouissaient des trèfles blancs et de la luzerne. Nous y avons étendu un drap blanc. Nous avons mangé les bentô qu'avaient préparés Mio et Yûji.

« C'est moi qui ai taillé les saucisses !

—Elles sont très réussies. De vraies pieuvres.

— N'est-ce pas ? »

C'est calme, a dit Mio.

« Il n'y a vraiment personne.

— Tout le monde se rassemble autour des fleurs plus réputées. Les hortensias, la lavande, ou encore les roses. Peu de gens viennent exprès pour voir des *commelina communis*. Du coup, c'est toujours calme, par ici.

— Ça me plaît, cet endroit.

— C'est ce que tu as toujours dit. Ça ne te rappelle rien ?

— Je ne sais pas... Mais je sens comme de la peine au fond de mon cœur. C'est peut-être ça, la nostalgie ?

— Sans doute. »

258

Une fois les bentô finis, Yûji a couru jusqu'à un grand étang bordé de briques. Quantité de killies nageaient dans l'étang couvert de nénuphars et débordant de joncs spiralés.

« Il a l'air heureux.

— C'est son coin préféré. Il pourrait rester ici indéfiniment, sans jamais se lasser de contempler l'eau.

— Ah bon ?

— Hmm. »

Mio s'est étirée avec un « ah » avant de s'allonger sur le drap. Je me suis étendu à ses côtés.

« C'est agréable.

— N'est-ce pas. »

Des rires d'enfants retentissaient à distance. Des bourdons venaient voleter à proximité de nos oreilles avant de s'éloigner de nouveau.

« Je pourrais m'endormir. »

Lorsque je me suis tourné sur le côté, mon regard a croisé celui de Mio, qui me fixait intensément.

« Bientôt, ce sera la fin de la saison des pluies, a-t-elle dit.

— En effet.

— Je n'ai pas envie de vous quitter. »

J'ai entouré son petit visage de mes mains.

« Hmm.

— Si seulement c'était un rêve...

— Vraiment ?

— Je me réveillerais pour te trouver à côté de moi, dans la salle de classe.

— Hmm.

— Et alors, je te dirais "On va se marier et avoir un fils qui aura des airs de prince anglais."

— Hmm.

— Que dirais-tu, à ce moment-là ?

— Je m'en remets à tes bons soins, ai-je dit. Si tu veux bien d'un homme comme moi. »

Nous nous sommes embrassés.

« Mon premier baiser, a dit Mio.

— Un délice », ai-je dit. Avant d'ajouter : « Je peux me resservir ? »

Nous avons pris des photos, tous les trois ensemble. Nous en avons pris plusieurs à l'aide du retardateur, l'appareil posé sur une fontaine en pierre. Nous nous tenions côte à côte, Mio et moi, avec Yûji au milieu. Nous nous tenions la main. Derrière nous s'élevait un lilas des Indes, couvert d'inflorescences immaculées.

Nous avons acheté un rosier en pot dans la jardinerie située juste en face du jardin botanique. C'était la fin des fleurs de printemps. La prochaine floraison était à l'automne.

« Comment elle s'appelle ? a demandé Yûji.

— Kaguya-hime, a répondu Mio.

— Kaguya-hime ?

— C'est ça. Je confie Son Altesse à tes bons soins.

— Moi ?

— Oui, tu vas bien t'occuper d'elle, afin qu'elle fleurisse à l'automne.

— Qu'est-ce qu'elle va donner, comme fleurs ?

— Des fleurs jaunes. On dit qu'elles sentent très bon, lui ai-je expliqué.

— Hmm, dans ce cas, je vais faire de mon mieux. Je vais essayer.

— Je t'en prie. »

Nous sommes rentrés à la maison avec notre rosier.

24

Les jours restant ont passé plus vite que nous ne l'aurions souhaité.

Mio apprenait à Yûji comment cuisiner et, lorsque venait le soir, je faisais mes exercices d'écriture. En revenant des courses, nous nous arrêtions dans le parc numéro 17 à présent déserté par Nombre et Pooh (le professeur avait été transféré dans ce lointain établissement pendant que je gisais terrassé par la fièvre, comme nous ne l'avons appris que beaucoup plus tard), et après le dîner, nous allions nous promener tous les trois le long du canal.

Lorsque Yûji ne nous regardait pas, nous échangions des baisers.

Selon les prévisions météorologiques à la télévision, la saison des pluies touchait à sa fin. Un matin, avant le lever du jour, il y a eu un terrible orage, mais c'était le genre d'averse qui annonce la fin de la saison des pluies.

Plus que deux jours.

Yûji, absorbé par son petit-déjeuner, n'a pas entendu la télévision.

J'ai regardé Mio.

Elle remuait la tête, au bord des larmes.

Je vous en prie, encore un peu...

Yûji a continué de manger, sans rien remarquer.

Ce soir-là, Mio et moi avons fait l'amour.

Après avoir vérifié que Yûji respirait bien de son habituel souffle de dormeur, elle est venue se glisser dans mon futon.

« La dernière fois, il nous a fallu plus de six ans pour en arriver là.

— Cette fois-ci, ça n'a pris que six semaines. Incroyable ! »

Le pays regorge sans doute de couples qui ne mettraient que six jours. J'ai débarrassé Mio de son pyjama en coton sous les couvertures. Elle s'est laissé faire, le corps tendu.

« Tu as l'habitude ?

— Merci. Je me suis beaucoup entraîné avec toi. »

Après avoir ôté ses sous-vêtements, je les ai roulés en boule avec son pyjama pour les sortir du futon. Confuse, elle a tendu la main et dissimulé ses sous-vêtements blancs sous le pyjama. Je voyais ses seins trembloter. Remarquant mon regard, elle a remonté la couverture jusqu'à ses épaules.

« Qu'est-ce qui m'arrive ? a-t-elle dit. Sans mes vêtements, je suis terriblement angoissée. Je me sens vulnérable.

— Vraiment ?

— Oui. Déshabille-toi. Je n'aime pas être toute seule.

— Entendu. »

J'ai ôté mon pyjama et mon caleçon, que j'ai jetés en boule hors du futon.

« Maintenant, on est deux. »

Nous nous sommes tournés pour nous faire face, et, lentement, silencieusement, nous avons rapproché nos corps.

Mio a soupiré.

« C'est donc comme ça.

— En effet. Mais il n'y a pas que ça.

— C'est embêtant. Est-ce que je pourrai y arriver ?

— Tout va bien se passer. Du moins, ça se passait toujours bien, autrefois.

— Dans ce cas, je vais faire de mon mieux.

— Est-ce vraiment la question ?

— Tu ne crois pas ?

— Je me demande... »

Pourtant, ça n'allait pas bien du tout. Elle se donnait trop de mal.

« Ça fait mal, mais...

— Pas possible.

— Je t'assure.

— Mais...

— Peut-être t'es-tu trompé d'endroit ? »

J'ai essayé de concentrer toute mon attention sur un seul point.

« Non, j'y suis.

— Alors, pourquoi... ? »

Elle me regardait d'en dessous avec un air inquiet. Soutenant mon buste de mes deux mains, j'ai réfléchi un moment.

« Je me demande si, en quittant une première fois cette planète et en te préparant à revenir, tout n'a pas été réinitialisé ?

— Réinitialisé ?

— Comme dans un jeu. Ton expérience aurait été remise à zéro.

— Tu crois ?

— C'est pourquoi tu n'as plus ni souvenirs, ni expérience, ai-je poursuivi. Ça doit être ça. On a seulement intégré les données nécessaires, et tu as redémarré à partir de là.

— Alors, je serais vierge ?

— En quelque sorte, oui. »

Elle était perdue.

Ce qui était normal.

N'importe quelle mère d'un enfant de six ans serait perplexe en s'entendant dire qu'elle est vierge.

« Tout va bien se passer, lui ai-je dit, si tu me fais confiance. Je suis bien entraîné. »

À ces mots, son expression s'est finalement détendue.

« C'est vrai. Tu as raison. »

Elle a alors fermé les yeux, relâchant son corps tout entier comme en signe d'allégeance. Elle s'est cambrée tandis que je sombrais lentement, me laissant voir sa gorge blanche. Ses lèvres se sont entrouvertes, et elle a glissé à voix basse :

« Je t'en prie. Tendrement, doucement... »

Cependant, je ne pense pas avoir pu me montrer aussi diligent qu'elle le souhaitait. Je trouvais que notre première fois, toutes ces années auparavant, avait été meilleure. À l'époque, je n'avais pas eu la présence d'esprit de concentrer mon attention sur elle, et tout avait été fini avant même qu'aucun de nous ait pu comprendre ce qui se passait. Cette fois-ci, pourtant, suite à l'expérience accumulée, je péchais par excès de zèle. Au final, le supplice ne lui en semblait que plus long.

Je contemplais distraitement la poitrine pâle de Mio tandis qu'elle gisait là, hébétée et sans défense. Ses seins humides de sueur ressemblaient à des chatons nouveaux-nés.

« Tu t'es donnée à fond. Tu as été admirable », lui ai-je dit.

Elle a ouvert les yeux avec un sourire ténu.

« Est-ce que ça va si je te dis que ce n'était rien ?

— Non, tu t'es vraiment donnée à fond.

— Merci.

— Du tout. »

Nous gisions nus côte à côte, le regard rivé sur le plafond teinté d'orange.

Dis, a murmuré Mio.

« Je suis heureuse.

— Vraiment ?

— J'ai passé six semaines merveilleuses.

— Hmm.

— On est tombé amoureux.

— En effet.

— On s'est tenu la main, on s'est embrassé.

— Et puis on a même fait l'amour.

— Je suis devenue mère. »

Ça fait beaucoup, a-t-elle ajouté.

« Je ne souhaite rien de plus.

— Hmm...

— Je suis heureuse de vous avoir rencontrés, tous les deux.

— Hmm... »

Elle a porté les deux mains à sa poitrine.

« Ça va peut-être te sembler étrange, mais... »

Elle a tourné la tête pour me regarder.

« Au début, j'étais jalouse de ta femme.

— C'est toi, ma femme. »

Elle a remué la tête.

« Moi, je suis moi. Une jeune fille venue au monde il y a six semaines.

— Hmm, je comprends. C'est ce que tu ressens.

— Je me disais, comme ça doit être bien, d'être ainsi aimée de vous deux, d'avoir tous ces souvenirs.

— Hmm.

— Vous me regardiez avec des yeux pleins d'adoration, mais ce n'était pas moi, c'était la jeune femme de vos souvenirs que vous contempliez. »

C'est pour ça, a-t-elle expliqué.

« J'ai fait le maximum. J'ai joué les bonnes épouses, pour que tu me chérisses, moi.

— Hmm. Je t'ai aimée. Comme la première fois.

— Vraiment ?

— Mon cœur battait la chamade. Je suis tombé amoureux de nouveau. »

De toi qui venais de naître.

Mio m'a regardé, comme éblouie. Elle m'a encore laissé voir son sourire crispé, le visage au bord des larmes.

« Je t'aime tellement que je ne sais plus quoi faire. »

J'ai tendu la main pour l'attirer vers moi. Sa sueur était froide, son corps frais.

« Moi aussi. Je suis sûr qu'on n'arrêtera jamais de tomber amoureux. Si on se rencontre à nouveau, on sera sans doute encore attirés l'un vers l'autre.

— Un jour, quelque part ?

— Oui, un jour, quelque part. À ce moment-là, je voudrais encore être à tes côtés. Je suis bien, là.

— Oui, c'est vrai, a-t-elle dit. Moi aussi, j'aime bien être à tes côtés. »

Elle a posé la tête sous mon menton.

« La meilleure des positions, pas vrai ? »

Sa voix résonnait faiblement dans les environs de ma clavicule.

« Parce qu'on est un couple, ai-je dit.

— Oui, c'est vrai. »

Bientôt, a-t-elle murmuré.

« Bientôt, le jour va naître. »

Je lui ai demandé si elle n'avait pas sommeil. Elle m'a répondu que non.

« Demain, c'est samedi. Je ne travaille pas. Tout ira bien.

— Dans ce cas, est-ce qu'on reste comme ça encore un peu ?

— Bien sûr. On reste comme ça encore un peu.

— Merci.

— Du tout. »

25

Le lendemain est arrivé, sans grand changement par rapport à la veille. Pourtant, c'était là
le jour qui nous avait été annoncé comme
funeste pour nous. Comme l'année précédente à
la même date.

Tous les épisodes ne sont pas forcément
emplis de félicité. Il y a aussi des épisodes
tristes. La plupart des épisodes tristes content
l'histoire d'une séparation. Je n'ai jusqu'à présent pas entendu une seule histoire de rencontre
sans séparation.

Une pluie brumeuse tombait en silence sur la
terre. Le ciel était teinté d'un blanc laiteux.
C'était un ciel de piètre qualité, sans ampleur ni
profondeur.

Nous avons marché en direction de la forêt,
à l'abri sous un parapluie. Il y avait des petites
flaques un peu partout. Yûji ne pouvait s'empêcher de marcher dans chacune d'entre elles.

La vieille brasserie de saké située à l'entrée
de la forêt émettait ses borborygmes habituels :
boum, boum, pschiiiiitt. Nous progressions sur
le sentier forestier jonché de plusieurs couches
feuilles humides. Le ciel était dissimulé derrière

le feuillage mouillé des tanugi et des egonoki. De petites fleurs jaunes d'oseille bordaient le sentier. Les racines des pins qui pointaient du sol luisaient de rosée.

La pluie, contenue par la canopée, ne nous atteignait pas. J'ai fermé le parapluie ; Mio et Yûji marchaient main dans la main.

« J'aimerais revoir les hostas, a dit Mio.

— On y est presque. C'est juste un peu plus loin. »

Mais lorsque nous sommes arrivés, les fleurs avaient disparu. Les feuilles magnifiques tremblaient sous l'effet de la pluie.

« On dirait que la floraison est déjà finie.

— Oui, on dirait bien. »

Nous sommes allés jusqu'à la lisière de la forêt. Le chemin suivait une légère inclinaison. La forêt s'arrêtait un peu plus loin.

Mio a ralenti l'allure, les yeux fixés sur Yûji qui marchait à ses côtés.

« Qu'est-ce qu'il y a ? lui a demandé Yûji en remarquant son regard.

— Je...

— Hmm. »

Mais elle était incapable de le dire.

« Qu'est-ce qu'il y a ? »

Yûji a levé vers sa mère un regard qui semblait hésiter entre espoir et angoisse.

« Je... »

Elle a finalement réussi à formuler sa pensée.

« Je vais bientôt vous dire au revoir. »

La figure de Yûji s'est soudain vidée de toute expression. Ses lèvres entrouvertes tremblaient légèrement. Longuement, il a contempl\[é\] visage de sa mère.

Puis il a baissé lentement la tête, comme pou\[r\] suivre la trajectoire des feuilles mortes.

« C'est dans combien de temps, bientôt ? » a-t-il demandé, les yeux rivés sur le sol humide.

Mio a incliné le chef.

« Je ne sais pas, moi non plus.

— Tu as décidé quel jour tu vas repartir ? Ça t'est revenu ?

— Ce n'est pas ça. C'est papa qui m'en a parlé.

— Mais on s'était promis de rien dire, a marmonné Yûji, la tête toujours baissée.

— C'est moi qui lui ai demandé. De m'expliquer.

— Vraiment ?

— Oui, vraiment. »

Puis ils se sont tus tous les deux.

Main dans la main, marchant à allure égale, ils avançaient doucement. On aurait dit les deux premières – ou les deux dernières – personnes au monde. Personne n'aurait pu les remplacer. Mère et enfant marchaient blottis l'un contre l'autre comme une vie unique.

Je contemplais distraitement leur dos tout en marchant derrière eux. Mio était drapée dans son cardigan fleur de cerisier par-dessus sa robe blanche. La même tenue que ce jour-là. Yûji quant à lui portait un pantacourt et un t-shirt jaune à manches longues. Ses jambes fines étaient engoncées dans des bottes assorties à son t-shirt, sur lesquelles figurait le dessin d'un chien qui ressemblait beaucoup à Pooh. C'était Mio qui les lui avait achetées. Il se baladait avec même par beau temps.

« Maman ? »

Yûji avait fini par ouvrir la bouche. Sa voix ressemblait beaucoup à celle de Mio, transposée trois tons au-dessus.

« Maman, je suis désolé », a-t-il dit.

Mio s'est arrêtée et s'est baissée pour regarder Yûji dans les yeux.

« Pourquoi est-ce que tu t'excuses ? »

Relevant ses cheveux humides, elle s'est approchée du visage de son fils innocent.

« Tu n'as rien fait de mal. »

Yûji a baissé la tête en silence.

« Si, j'ai fait quelque chose de mal », a-t-il dit dans un murmure, en remontant sur la fin des mots. Son ton trahissait une souffrance contenue. Quelque chose qui montait dans sa gorge.

« Tu es un bon garçon. Ne dis pas ce genre de choses. »

Mio a caressé doucement la joue de Yûji. Le nez de Yûji s'est teinté de rouge. Il a cligné des yeux à plusieurs reprises.

« C'est de ma faute, non ? a-t-il dit d'une voix tremblante. C'est de ma faute, si tu es morte ? »

Mio a levé la tête pour me regarder.

J'ai secoué la tête rapidement en signe de dénégation, puis j'ai acquiescé lentement.

Mais non, tu n'y es pour rien.

Tu ne sais pas ? Mes pensées sont pareilles aux mots que tu as lus. Il... Yûji est aussi pur que la neige qui n'a pas encore atteint le sol.

Elle a acquiescé en retour.

Oui, je le sais bien. Je pense la même chose.

Le regard plongé au fond des yeux de Yûji, elle a dit :

« Ce n'est pas vrai. »

Elle avait la mine plus grave que jamais.

« C'est faux.

— Non, c'est vrai. Je le sais bien. »

Yûji a essuyé ses larmes abondantes de ses poings minuscules.

« Quelqu'un me l'a dit. C'est à cause de ma naissance si tu es morte. »

Il a levé la tête pour regarder Mio. Ses joues rouges ruisselaient. Sa bouche rose formait un cercle tandis qu'il implorait sa mère.

« Je savais pas, pendant tout ce temps. »

Il a cligné des yeux de plus belle.

« Je ne savais pas tout ça. Si j'avais su, j'aurais été plus gentil. »

Désolé.

Yûji a reniflé.

« Je voulais m'excuser, depuis longtemps. Je suis désolé. »

Désolé.

« Ne t'excuse pas, a dit Mio. Tu n'as absolument rien fait de mal. Tu es un gentil garçon. Le plus gentil au monde. »

Sa voix ne semblait pas tout à fait la sienne. Violemment instable, rauque.

« Mais... a reniflé Yûji. Si je n'étais pas né, tu aurais pu rester avec Tak-kun pour toujours, non ?

— Ce n'est pas vrai. »

Ce n'est pas vrai.

Mio a passé les doigts dans les cheveux humides de Yûji.

« Tu sais, même si je ne t'avais pas eu, je pense que les choses se seraient passées de la même manière. »

Yûji a cessé de cligner des paupières.

« Et puis, je ne peux pas imaginer ma vie sans toi. C'est grâce à toi que j'ai enfin pu mener ma propre vie. J'en suis convaincue.

— Vraiment ?

— Oui. Si je ne t'avais pas rencontré, je pense que je n'aurais jamais connu ce sentiment d'accomplissement, même en vivant cinquante ans.

— Sérieux ?

— Sérieux. C'est pour cela qu'on s'est rencontrés, papa et moi. Pour faire ta connaissance.

— Moi ?

— Oui, toi. Toi, qui ne ressembles à personne d'autre. Mon petit prince anglais.

— C'est qui, ça ?

— Un petit quelqu'un qui a toujours le nez qui coule, qui aime collectionner des déchets inutiles, et qui a pour habitude de demander "Vraiment ?" à tout bout de champ.

— Vraiment ?

— Vraiment. Mon trésor le plus précieux.

— Tout ça, c'est moi ?

— Oui, c'est toi. »

Elle a frotté sa joue contre celle de Yûji.

« Tu vas devenir un adulte merveilleux, hein ? »

Elle a déposé un baiser sur sa joue, puis repoussant ses cheveux, elle en a déposé un autre sur son front.

« Je ne pourrai pas revenir pour voir ça, mais je ferai toujours des vœux pour toi. Pour que ta vie soit pleine d'amour.

— Sur Archevie ?

— C'est ça. Sur Archive, je penserai toujours à vous deux.

— Moi, je ne t'oublierai jamais, maman, a murmuré Yûji, pendu au cou de sa mère. Je ne t'oublierai jamais. Je me souviendrai toujours de toi, pour que Tak-kun puisse te retrouver, le jour où il ira sur Archevie.

— Merci. Moi non plus, je ne t'oublierai pas. Mon petit bonhomme. »

Je t'aime.

C'est ce qu'elle a dit, en le serrant encore une fois.

« Ma vie a été courte, mais grâce à ta présence, j'ai passé des jours fastes. »

Merci.

« Je te confie papa. Prends bien soin de lui pour moi.

— Hmm, entendu. »

Mio a essuyé les larmes et le nez de Yûji à l'aide de son mouchoir.

« Je ne pars pas encore tout de suite, a-t-elle dit. Ne t'en fais pas. »

Yûji a acquiescé, et tous les deux ont repris leur marche, main dans la main.

Puis la forêt s'est arrêtée, et le ciel s'est ouvert.

Yûji s'est mis à chercher des trésors avec le plus grand sérieux. Ses trésors à lui comportaient des spirales, ou étaient attachés par de petites dents.

La menace de la pluie pesait sur nous.

Elle a repoussé ses cheveux mouillés de ses deux mains, révélant ce magnifique front que je n'avais cessé d'admirer depuis l'âge de quinze ans. Quelques mèches de cheveux noirs rebelles sont restées collées à son front.

« Je me demande si c'était une bonne idée...
a-t-elle dit.

— Hmm. Yûji peut enfin se pardonner après
ce que tu lui as dit.

— Il souffrait tellement.

— Je m'en veux de n'avoir rien remarqué.
J'aurais dû l'écouter plus attentivement.

— Ce n'est pas de ta faute », a-t-elle déclaré
nonchalamment.

Cela va sans dire, mais je te le dis quand
même. C'est ce qu'elle a dit.

J'ai acquiescé, le cœur libéré de son fardeau.

Nous nous tenions dos au mur en ruines.
Juste derrière nous se trouvait la porte
numéro 5. À côté de nous se dressait la boîte
aux lettres de guingois. Tout était trempé par la
pluie, et semblait plus vieux que la réalité.

« Chéri, a dit Mio.

— Hmm ? »

Sa voix semblait inchangée, aussi lui répondais-
je comme à mon habitude.

Elle a dit :

« On dirait que la séparation est pour bientôt. »

Aussi nonchalamment que si on allait pouvoir
se revoir dans la soirée.

Mais ce n'était pas le cas.

Elle m'a présenté sa main droite. Le bout de
ses doigts avait commencé à disparaître à partir
de la deuxième phalange. Il n'en restait plus que
des contours flous, comme si ce qu'ils conte-
naient était parti ailleurs. La forêt était visible
à travers ses doigts transparents.

J'ai entendu l'interrupteur s'enclencher dans ma poitrine.

Clic.

J'ai senti les valves s'ouvrir et l'aiguille de la jauge de niveau s'affoler.

« Tu n'as pas mal ? »

Ma voix tremblait d'inquiétude.

Elle a contemplé ses phalanges (ou plutôt l'espace qu'elles auraient dû occuper) d'un air mystérieux.

« Ça ne me fait pas mal, non. Mais j'ai les phalanges froides.

— Donc elles sont toujours là ?

— Oui. Sûrement, quelque part.

— Toi aussi, tu y vas ?

— Il semblerait.

— Qu'est-ce que je peux faire ?

— Prends-moi la main. »

Elle a esquissé un sourire esseulé.

« S'il te plaît. Jusqu'au dernier moment.

— Entendu. »

De la main droite, j'ai tenu la main gauche de Mio. Fort.

Comme si je croyais pouvoir ainsi l'ancrer dans ce monde.

Mio a serré ma main en retour.

Ses doigts tremblaient légèrement. Elle avait peur. Je percevais une profonde angoisse. Elle faisait cependant montre de sérénité pour moi.

Je me suis dit :

Sois fort.

Pour elle.

« Tout va bien, ai-je dit. Je suis là. »

Mio a acquiescé, le teint pâle.

Puis, main dans la main, nos cœurs unis en un, nous avons traversé la première tempête d'angoisse.

Le calme a fini par revenir, temporairement.

« Chéri, a-t-elle dit. Prends soin de Yûji.

— Hmm.

— Aime-le pour moi aussi.

— Hmm. »

Ses mots se sont cependant vite interrompus. Elle s'est mordu la lèvre, tête baissée. Sa double incisive pointait entre ses lèvres minces.

Une larme solitaire s'est échappée de ses yeux clos.

« C'est difficile, a-t-elle dit. Je n'ai pas envie d'y aller. Je voudrais rester encore ici. Je voudrais voir grandir Yûji. Je voudrais rester toujours avec toi. »

Elle a poussé un soupir avant de relever la tête.

« Je ne peux pas. Je ne fais que te rendre les choses plus dures en disant tout cela.

— Ce n'est rien. Dis-moi ce que tu as sur le cœur. »

Elle a remué légèrement la tête, les yeux fermés.

« Non, je ne peux pas. Parle, toi. Raconte-moi une histoire.

— Je... »

Les mots qui sont finalement montés à mes lèvres étaient ceux que j'avais dans le cœur depuis toujours.

« ... voulais te rendre heureuse. »

J'ai serré sa main fort. Elle y a répondu en serrant à son tour la mienne.

« Je voulais t'emmener au cinéma. Je voulais contempler le ciel étoilé avec toi du sommet d'un building. Boire du vin, ou autre. Comme un couple ordinaire. Je voulais être normal. »

Mais je n'ai pas pu.

Mio a fini sa courte vie dans cette petite ville. Quelles qu'aient pu être ses chances de parcourir le vaste monde, elle ne s'était pas éloignée de l'endroit où se trouvait son mari, menant son existence en cultivant des plaisirs modestes que d'aucuns considéreraient comme insuffisants.

Comme un autoportrait dans un cadre bon marché, par exemple. Ce genre de plaisirs modestes.

« Je suis désolé », ai-je dit.

Elle m'a contemplé, les yeux humides, en esquissant un sourire crispé.

« Pourquoi... a-t-elle murmuré, sa voix rendue nasale par les larmes. Pourquoi est-ce que les hommes de cette famille tiennent tant à s'excuser ? »

Ses lèvres minces, drainées de leur couleur, tremblaient légèrement.

« Je suis heureuse. Je n'ai besoin de rien. Tout ce que j'aurais voulu, c'est de rester à tes côtés. »

Le savais-tu ? C'est là le plus grand bonheur en ce monde.

« Vraiment ?

— Oui, a-t-elle dit. Aie confiance en toi. Tu es une personne merveilleuse.

— Il n'y a que toi pour dire une chose pareille.

— Ce n'est pas vrai.

— Si, c'est vrai. Tu es différente. Tu as trop mauvais goût. »

Elle n'a rien répondu. Elle me contemplait avec douceur, en silence.

« Dis… a-t-elle dit. Est-ce que j'ai pu te rendre heureux ?

— Je suis heureux. Plus que cela. Le simple fait que tu m'aies épousé, moi, a suffi à me rendre plus heureux que je n'aurais pu l'imaginer.

— Vraiment ?

— Hmm. »

Le bras droit de Mio avait à présent disparu jusqu'au coude. Il ne nous restait plus beaucoup de temps.

« Prends soin de ta santé », a-t-elle dit.

Ses grands yeux s'étaient emplis de larmes, et leur contour avait pris une teinte rose.

« C'est ma seule inquiétude.

— Je ferai attention. Je m'efforcerai d'aller un peu mieux.

— Vis ta vie à fond.

— Hmm.

— Tu portes un fardeau un peu plus lourd que les autres, c'est tout. Je suis sûre qu'en avançant de ton mieux, tu pourras aller aussi loin que tu le voudras. »

Hmm, tu as raison.

Sa silhouette s'est soudain mise à vaciller. La sensation de nos doigts enlacés est devenue plus ténue.

La moitié droite de son corps avait déjà disparu.

Pourtant, elle essayait encore de me parler, comme si sa vie en dépendait.

« Je me sens tellement bien à tes côtés… si je le pouvais, je voudrais rester à jamais auprès de toi…

— Hmm.

— Je t'aime. Je t'aime vraiment. Je suis heureuse d'avoir été ta femme...

— Moi aussi, moi aussi... »

Elle a esquissé un grand sourire.

Une moitié de sourire, seulement.

« Merci, chéri... »

Retrouvons-nous, un jour, encore, quelque part...

Les mots seuls flottaient quelque part au milieu du néant.

J'ai regardé ma main droite, fermée sur le vide, et où ne subsistait qu'une brume rose pareille à sa demi-silhouette. Le souffle du vent l'a finalement emportée, elle aussi.

Il ne restait plus que son odeur.

Cette odeur.

Le message le plus intime qu'elle m'ait transmis.

Le seul message au monde.

Mio... disait-elle. *Serait-ce mon nom ?*

En effet.

C'est ton nom.

Le nom de la seule femme au monde que j'aie aimée, de tout mon cœur.

Adieu, Mio.

Yûji a accouru, à bout de souffle.

« Regarde ! »

Dans sa main levée, il tenait un petit pignon.

« C'est pas génial ? Je vais le donner à maman. Où est maman ? »

Incapable de prononcer les mots, je me suis contenté d'acquiescer à plusieurs reprises en esquissant un sourire crispé afin de retenir mes larmes.

« Où est-elle ? Tu me le dis ? »

Pourtant, je restais là, bouche cousue, et Yûji est reparti en courant.

« Maman ? Où es-tu ? »

« Regarde, j'en ai trouvé un. Je vais te le donner. »

« Maman, où es-tu ? »

Maman ?

Maman ?

26

Deux jours après le départ de Mio, on a annoncé la fin de la saison des pluies. Comme si elle avait eu hâte d'entreprendre son voyage.

Ainsi, nous avons repris notre vie, rien que tous les deux.

Et pourtant, des souvenirs d'elle flottaient encore un peu partout dans l'appartement. Des souvenirs d'une femme qui était partie au bout de six semaines.

Et toi ? demandait-elle.

Es-tu heureux ? Est-ce que je te rends heureux ?

Chaque fois que ces mots me revenaient, je l'appelais, sur sa planète lointaine.

Tu n'as jamais cessé de me poser la question. Est-ce que tu me rendais heureux ? Le simple fait d'avoir une épouse qui pense en ces termes suffisait à mon bonheur, mais peut-être ne le savais-tu pas.

Tu t'es donné à fond. Tu as été admirable. Une autre de tes phrases fétiches.

Cela me rend très triste, de penser que je ne les entendrai plus. C'est grâce à ces encouragements que j'étais capable de me donner à fond. J'aurais pu monter dans une fusée et partir pour Pluton. Mais si je te le disais, je suis sûr que tu clignerais des yeux, plusieurs fois, avec exagération, un air d'incrédulité sur le visage.

Bien que seuls à nouveau, nous faisions de notre mieux. Yûji était devenu un partenaire bien plus fiable qu'avant ; il avait même mûri un peu.

Lui qui avait toujours dormi en position « Banzaï ! » avait récemment commencé à dormir face contre terre, comme prostré dans un salut. Le coude droit levé haut, les bouts des doigts collés à la tempe. Cela semblait très inconfortable, mais il avait l'air de dormir paisiblement dans cette position. Qui pouvait-il bien saluer ainsi tout au long de la nuit ?

Au réveil, son premier geste était d'aller dire bonjour à la photographie posée au-dessus du placard. Celle que nous avions prise au jardin botanique. Nous souriions côte à côte, Mio et moi, avec Yûji entre nous. Nous avions l'air heureux, sous les fleurs immaculées du lilas des Indes. À notre regard, il semblait que nous voyions un monde magnifique, encore inconnu de tous, se déployer devant nous. Yûji arrosait ensuite les racines de sa Kaguya-hime, avant de m'aider parfois à sortir les poubelles.

Nous changions de vêtements tous les jours. Pendant les repas, nous faisions bien attention à ne pas faire tomber de nourriture. Et lorsque nous étendions le linge, nous n'oubliions pas de le battre au préalable.

Le soir venu, je faisais mes exercices d'écriture, avant d'écrire la suite de mon roman. Puis, avant de dormir, je lisais *Jim Bouton* à Yûji. Le week-end, nous sortions en forêt et cherchions des boulons près de l'usine en ruines.

Tous les matins, je prenais mon vélo pour me rendre au bureau où, comme toujours, j'effectuais mon travail en lisant les notes que je m'étais envoyées moi-même. Nagase-san ne se comportait plus bizarrement. Je n'oubliais pas de porter des costumes en accord avec la saison. Je me faisais même couper les cheveux une fois par mois. Le chef dormait sur son bureau, comme à l'accoutumée.

Il ressemblait de plus en plus à un saint-bernard.

Ainsi, nous dérivions vers un lieu de plus en plus éloigné de « ce jour-là ».

Et pourtant, Mio était encore avec nous. À mes côtés, aux côtés de Yûji, elle était là.

Lorsque je faisais mes exercices d'écriture, je percevais sa présence tandis qu'elle jetait un coup d'œil par-dessus mon épaule. Je sentais son odeur, j'avais l'impression d'entendre sa voix.

Chéri.

J'avais le sentiment qu'elle m'appelait, et je me retournais à chaque fois.

Lorsque je dormais la nuit, je percevais sa chaleur à côté de moi. Le cou me chatouillait, et j'entendais sa voix me demander *la meilleure position ?* avec un gloussement.

Bientôt, l'automne s'est fait entendre.

Le chant des cigales, le bruissement des épis de riz balancés par le vent oblique.

Kaguya-hime s'est couverte de magnifiques fleurs jaunes au parfum doux.

« C'est maman, a dit Yûji. D'ailleurs, tu vois, c'est son odeur.

— C'est vrai. »

Elle était toujours à nos côtés.

27

Sous le ciel limpide de ce début d'automne qui s'étirait à perte de vue, nous avons enfourché nos vélos en direction de la gare. Nous allions rendre visite à Nombre dans une ville du bord de mer, à deux heures de train.

C'était également le souhait de Mio. Elle se souciait toujours du professeur Nombre.

Tu ne crois pas qu'il doit se sentir seul ?

Tu ne crois pas que c'est difficile pour lui ?

Elle avait même parlé d'aller le voir toute seule, mais au final l'état de santé de Nombre était trop mauvais, et le projet n'avait pas abouti.

Avant de partir, elle m'avait imploré d'y aller. Et puis, j'avais envie de le voir. J'avais tant à lui dire, sur Mio, sur Pooh, sur le roman.

Bref, c'est pourquoi j'ai résolu d'y aller. Mais, au moment précis où j'ai pris cette décision, mon rythme cardiaque a augmenté d'une vingtaine de battements.

Merveilleux.

La mélancolie de l'astronaute en partance pour Pluton. Voilà ce que je ressentais.

En arrivant à la gare, j'ai d'abord été surpris par les guichets automatiques. Durant les dix ans de vide de ma mémoire-cache, ces machines avaient terriblement évolué. En tout cas, le nombre de boutons avait plus ou moins doublé. De plus, elles étaient équipées d'écrans à cristaux liquides, et il fallait passer par différentes étapes fastidieuses afin d'acheter un billet pour enfant. Les coupons qui en sortaient étaient fins et semblaient provenir d'un jeu. Apparemment, il fallait les introduire dans la fente du tourniquet.

J'avais connaissance de l'existence de ces tourniquets par la télévision. Cependant, une fois devant, j'ai senti monter en moi une nervosité exagérée. Je n'avais plus ressenti une telle nervosité depuis ma dernière rencontre avec une porte à tambour dans quelque hôtel.

Pourtant, j'ai réussi par je ne sais quel moyen à le franchir. À ce moment donné, j'étais déjà épuisé.

J'ai dit à Yûji :

« On prend la ligne normale, hein.

— L'express ira plus vite.

— Non, l'express, ce n'est pas une bonne idée. L'écart entre les arrêts est trop grand.

— C'est quoi le problème ?

— Je ne pense pas que cela en pose. Mais si jamais c'était le cas, ce serait extrêmement ennuyeux.

— Vraiment ?

— Vraiment. »

En empruntant la ligne normale, il y avait plus de quarante arrêts.

On avançait, on s'arrêtait, puis, avec un « haaa… » pareil à un long soupir, on reprenait de l'allure. Répété quarante fois.

On aurait dit la vie d'un certain quelqu'un.

Haaaa...

Le train a fini par arriver, et nous sommes montés.

Comme il fallait s'y attendre, mes jambes tremblaient. J'ai agrippé la main de Yûji de toutes mes forces.

« Tak-kun, a dit Yûji.

— Quoi ?

— Ta main transpire énormément. »

Sueurs froides, cela va sans dire.

Les portes se sont fermées, et au moment où le train s'est mis en marche, j'ai entendu un clic. Ce bruit si familier. Entre mon cœur et mon estomac.

J'ai sorti le flacon d'essence de santal que j'avais emporté et en ai déposé une goutte sur un mouchoir à l'aide de la pipette. Puis je l'ai porté à ma bouche. Un parfum doux s'est déployé dans mes sinus. Les valves se sont ouvertes, mais la quantité de substances chimiques lâchées était réduite au minimum.

Debout juste devant la porte, je concentrais mon attention sur le paysage de l'autre côté de la vitre.

« Allons nous asseoir. Il y a de la place.

— Non, je préfère rester debout.

— Vraiment ?

— Hmm. Je me sens mieux comme ça.

— Quelle histoire...

— Comme tu dis. »

J'ai décidé de compter les voitures sur la route qui longeait la voie ferrée. N'importe quoi plutôt que de me rappeler que j'étais dans un train.

« Une, deux, trois, quatre...

— Qu'est-ce qu'il y a ?

— Je compte les voitures.

— Ça a l'air amusant. Je vais t'aider.

— Si tu veux. »

Ainsi, c'est devenu un jeu. J'ai décidé que ce n'était plus un moyen d'oublier que j'étais dans le train, mais bien un divertissement. Mais au final, je ne faisais que me répéter sans cesse « C'est un jeu ». Ce genre de jeu n'a rien d'amusant.

Très vite, les paysages ruraux se sont succédé à l'infini, et les voitures ont complètement disparu. À mesure que leur nombre diminuait, la quantité de substances chimiques libérées s'est mise à augmenter. Je me tenais la poitrine pour vérifier mon rythme cardiaque. Je prenais de profondes inspirations, que j'exhalais lentement.

Contractant les lèvres, j'émettais des *po, po, po*.

Po, po, po, po, po.

« C'est quoi, ça ? »

Po ?

« Mais c'est quoi, dis ?

— Ça m'aide à me calmer, de dire *po, po* comme ça.

— Vraiment ?

— Essaie, toi aussi. »

Po, po, po, po, po.
Po, po, po, po, po.

« Dis... Tout le monde nous regarde.

— Ils te regardent parce que tu es mignon.

— C'est pas ça.

— Vraiment...

— On devrait plutôt chanter.

« — Chanter ?

— La chanson de maman. Celle qu'elle nous a apprise.

— Mais oui ! Cette chanson...

— On la chante ensemble ?

— Oui, allons-y.

— Mais à voix basse, hein. Parce que tu as une grosse voix, Tak-kun.

— Entendu. »

Un éléphant jouait
Pris dans une toile d'araignée
Et il s'amusait tellement
Qu'il a appelé un deuxième éléphant...

Quoi qu'il en soit, c'est ainsi que je suis venu à bout du trajet. En inhalant du santal, en comptant des voitures, en faisant *po, po, po*, et en chantant avec Yûji. En cours de route, j'ai dû débarquer trois fois et laisser passer plusieurs trains en attendant de me calmer. Yûji m'accompagnait en silence, sans la moindre plainte.

Comme je m'y attendais, Pluton était une étoile distante.

Haaa...

La clinique se situait à flanc de montagne, avec vue sur la mer. C'était un immeuble de cinq étages d'allure simple et propre. J'ai demandé la chambre du professeur à l'accueil. On m'a indiqué la porte au bout du couloir, au deuxième. Nous avons monté les escaliers jusqu'au deuxième.

« Il y a un ascenseur.

— Certes. Mais je préfère y aller à pied.

« — Pourquoi ?

— Parce qu'on ne sait jamais où un ascenseur peut nous mener.

— Vraiment ?

— Après tout, il n'y a pas de fenêtre, les portes se ferment d'un coup, et on ne sait pas jusqu'où il va. Il pourrait très bien s'arrêter sur Mars.

— Vraiment ?

— Vraiment. C'est le pire des modes de transport.

— T'es bizarre. »

Nombre était dans sa chambre. Il lisait un livre, assis sur un des quatre lits que comptait la pièce, près de la fenêtre. Il n'y avait pas de trace d'autres personnes.

« Professeur. »

Il a levé le nez de son livre en entendant ma voix.

« Oh, a-t-il manqué de s'écrier, avant de faire un grand signe de tête. Vous êtes venus me voir !

— Mais oui », a répondu Yûji.

Nombre a posé son livre sur la table de chevet avant de pivoter sur son séant et de mettre les pieds au sol.

« Allons sur le toit, a-t-il proposé. C'est le meilleur endroit. La vue y est magnifique. »

Il s'est levé lentement, avec précaution, et a pris la canne placée au pied du lit.

« Allons-y. »

Il a ouvert la marche, en dépit de sa jambe gauche qui traînait un peu.

Il s'est retourné pour nous expliquer :

« C'est grâce à la rééducation si je peux à nouveau marcher sur mes deux jambes. »

Il avait bonne mine, et sa voix était ferme.

« Vous semblez en forme.

— En effet. Mon ancien mode de vie était foncièrement mauvais. Ma santé est bien meilleure à présent.

— Ça en a tout l'air. »

Nombre et Yûji ont pris l'ascenseur, tandis que je m'obstinais à préférer les escaliers. Dès l'instant où j'ai ouvert la porte qui menait sur le toit, l'azur a empli mon champ de vision tout entier. Nombre et Yûji ont ri en me voyant.

« Vous y avez mis, le temps.

— Je ne voulais pas finir sur Mars.

— T'es bizarre. »

La terrasse était entièrement recouverte d'une pelouse artificielle agrémentée de nombreux bancs. Des groupes composés de patients âgés et de personnes qui devaient être des membres de leurs familles conversaient à voix basse en contemplant l'océan.

« Quelle vue magnifique.

— N'est-ce pas !

— Depuis combien d'années n'avais-je pas vu la mer ? Pour toi, Yûji, ça doit être la première fois ?

— C'est la vraie.

— Oui, c'est la vraie.

— Ça fait un peu peur.

— Oui, mais c'est ce qui en fait tout le prix. »

Des cirrocumulus flottaient dans le ciel bleu limpide. Les nuages semblaient poursuivre un point au-delà de l'horizon, tels des oiseaux migrateurs en route vers le sud. Une douce brise marine est venue agiter les cheveux miel de Yûji.

« Mio-san est-elle repartie ? »

J'ai acquiescé à la question de Nombre. Je lui avais déjà écrit une lettre résumant l'affaire.

« D'une certaine manière, tout s'est terminé en un clin d'œil.

— Arrivée avec la pluie, elle est repartie avec... »

Une femme hortensia, a murmuré Nombre.

« Mais je suis tombé amoureux d'elle une nouvelle fois. »

Hm-hm, a approuvé Nombre.

« Notre amour n'aura duré que six semaines, mais j'ai été très heureux. »

Nombre a levé les yeux vers les cirrocumulus qui flottaient haut dans le ciel.

« Aio-kun.

— Oui ?

— À votre avis, combien de personnes en ce monde ont eu la chance de faire pareille rencontre ? »

Il a baissé lentement le regard avant de me sourire. Au fond de ses yeux humides, ses pupilles claires brillaient d'une douce lueur.

« À chaque nouvelle rencontre, je serai attiré par elle. Encore et encore. »

Son doigt tremblant désignait l'horizon.

« C'est comme là-bas. Le ciel et la mer ne font irrémédiablement plus qu'un. N'importe quand. N'importe où. »

Tous, nous continuons sans relâche à chercher cet unique partenaire.

(Il y a quelqu'un ? Cherche partenaire amoureux.)

« Vous vous êtes trouvés.

— On dirait bien.

— Comme la mer.

— Comme le ciel ? »

Je lui ai également rapporté l'histoire de Pooh dans les moindres détails.

Celui-là, a dit le professeur après avoir écouté mon récit jusqu'au bout.

« Quoi qu'il en soit, il a toujours disposé d'un esprit libre. Sans doute refusait-il de se laisser attacher...

— Vous croyez qu'il est toujours en vie ?

— Je ne m'en fais pas pour lui. Il est fort. Je suis sûr qu'il mène sa vie quelque part comme il l'entend. »

Fiouic ? a dit Yûji.

Nombre l'a regardé, l'air de demander : *Qu'est-ce que c'est ?*

Fiouic ? a répété plusieurs fois Yûji d'un air triomphant.

« Vous savez, a-t-il dit. Pooh, il sait chanter. Comme ça. »

Fiouic ?

Yûji imitait les pleurs de Pooh à la perfection. J'en aurais été incapable. Non seulement c'était du falsetto, mais c'était même un son étrange, pareil à celui qu'aurait laissé échapper une personne que l'on étranglerait.

« Ce genre de son ? a demandé Nombre.

— C'est ça. Il pleurait.

— Quand nous avons quitté votre maison, c'était la première fois que je l'entendais geindre ainsi. »

Je ne savais pas, a dit Nombre.

« Quel tricheur ! Il a passé tout ce temps à faire comme s'il ne pouvait pas parler. Sacré bonhomme.

— Il avait l'air triste. Même en votre absence, il refusait de quitter cette maison.

— C'est la même chose pour moi. Je me sens seul sans lui. »

Mais que voulez-vous, a poursuivi Nombre.

« Il faut bien vivre. En dépit de toutes les séparations, en dépit de tous les exils... »

Allons, ça se rafraîchit. Rentrons.

De retour dans la chambre, Nombre a sorti une enveloppe blanche du tiroir de sa table de nuit.

« C'est pour vous. »

Je l'ai acceptée, et lorsque je l'ai retournée, j'ai pu lire *Aio Mio* au dos.

« Mio-san me l'a donnée trois jours avant son hospitalisation. Elle était passée au parc. Elle voulait que je vous la donne un an plus tard, une fois la saison des pluies terminée. »

Il s'est assis sur son lit et a posé sa canne.

« Je ne sais rien de ce qui est écrit dedans. Mio-san ne m'en a rien dit non plus. Je me faisais du souci pour cette lettre, cependant, aussi suis-je soulagé d'avoir pu vous la remettre. »

J'ai regardé l'enveloppe sous tous les angles avec attention, puis je l'ai glissée dans la poche de ma veste.

« Merci beaucoup. Merci de me l'avoir gardée pendant tout ce temps.

— Je vous en prie. Mais j'étais un peu inquiet. Je me demandais ce qui allait se passer si jamais je mourais avant de vous l'avoir remise.

— Voyons...

— Si, si. Quoi qu'il en soit, j'ai rempli ma mission.

— Mais qu'est-ce que ça peut bien être ? Et pourquoi maintenant ?

296

— Elle avait l'air d'avoir eu une vision. Je pense qu'elle devait savoir quelque chose qu'elle voulait vous faire lire aujourd'hui.

— Vous avez sans doute raison. »

Bientôt, le moment est venu pour nous de repartir, et nous nous sommes levés.

« Nous reviendrons vous voir.

— S'il vous plaît. J'ai été heureux de vous revoir. Si je sais que vous reviendrez, cela me donne une raison de me réjouir.

— Je comprends. Vos sentiments. »

Je lui ai redit encore une fois notre compréhension, les deux mains pressées sur ma poitrine.

« Allons.

— Pardonnez-moi si je ne vous raccompagne pas.

— Bien sûr. »

Nous nous sommes écartés du lit de Nombre, avant de nous retourner au milieu de la pièce pour nous diriger vers la porte. En quittant la pièce, nous avons fait volte-face ; Nombre ne nous lâchait pas du regard.

« Bye-bye », a dit Yûji, à quoi Nombre a répondu doucement, d'un signe de sa main tremblante.

Tak-kun, ainsi s'adressait-elle à moi.

Tak-kun, comment vas-tu ? Es-tu en bonne santé ?

Dans le train du retour, agrippé à la barre près de la porte, j'ai lu la lettre de Mio. Yûji, lui, comptait les voitures sur la route qui longeait la voie ferrée.

Tak-kun, comment vas-tu ?

Es-tu en bonne santé ?

Dans trois jours, j'entrerai à l'hôpital, aussi ai-je décidé de t'écrire cette lettre tant que je pouvais encore me mouvoir de mon propre chef.

En ce moment, tu es au travail ? D'ici une heure environ, Yûji va rentrer de la maternelle. Si je parviens à finir cette lettre, j'irai la confier à Nombre en revenant des courses pour le dîner.

Je lui demanderai de te la remettre dans un an, une fois la saison des pluies terminée.

Je sais qu'à ce moment-là, je ne serai plus à tes côtés.

Mon fantôme a-t-il déjà regagné Archive ?

Cela te surprend-il ?

Savais-tu que j'étais capable de prédire le futur ?

Non, ce n'est pas vrai.

C'est une blague.

Même une élève modèle et aussi sérieuse que moi peut raconter des blagues.

Mais ce que je m'apprête à t'écrire est vrai.

Il est possible que cette vérité te surprenne encore plus. Je t'assure pourtant que c'est la vérité pure. La vérité sur ce qui m'est arrivé.

Pour que tu puisses tout comprendre, je suis obligée de commencer mon récit à l'époque où nous avions vingt ans.

D'accord ?

Lis bien, s'il te plaît.

Alors, d'abord, ta lettre.

Quand j'y pense, c'est devenu la dernière lettre que j'ai reçue de toi.

Des « circonstances indépendantes de ta volonté » t'empêchaient de continuer à m'écrire. Au revoir, m'as-tu annoncé au stylo à bille noir.

En tout, cela faisait trois lignes.

Alors, c'était tout, notre relation se terminait comme ça ?

Qu'entendais-tu par « des circonstances indépendantes de ta volonté » ?

J'ai lu et relu cette courte lettre à plusieurs reprises. Et, à chaque fois, j'ai pleuré.

La seule chose que je pouvais faire, c'était de continuer à t'écrire. Ravalant les questions qui me montaient aux lèvres, j'ai fait mine de ne pas remarquer ta tentative de rupture et continué de t'écrire et de t'envoyer des notes insignifiantes sur mon quotidien.

C'était une activité aussi solitaire que d'être appelé sur une planète lointaine.

En lisant ce que je t'écrivais, tu devais sûrement demander « Vraiment ? » avec un sourire rêveur. Et, pensant à ce sourire, je sourirais avec toi.

Et puis, ce fameux jour, incapable de supporter ma peine plus longtemps, je suis allée te voir sur ton lieu de travail.

Cela m'a pris tout mon courage.

Là, tu m'as expliqué.

Ce serait bien si on pouvait se revoir un jour, m'as-tu dit. Puis, tu as ajouté : « à nos mariages respectifs ».

T'en souviens-tu ?

J'ai eu le sentiment que le monde s'effondrait sous mes pieds.

J'ai pensé que si tu prononçais des paroles aussi froides, c'était pour me tenir à distance, n'est-ce pas ?

Mais tu ne le savais pas toi-même.

Je suis plus dure à cuire que tu ne sembles le penser, et je ne peux penser que suivant des règles strictes. Je ne peux pas facilement oublier une personne que j'ai aimée, ni me mettre à la détester. Par la volonté des dieux, je ne peux connaître qu'un seul et unique amour dans ma vie. C'est pourquoi je continuais de vivre, jour après jour, en pensant à toi.

Il devait forcément y avoir une raison.

C'est ce que je pensais, en me raccrochant à un mince espoir.

Un an a passé, et mon « jour décisif » est finalement venu.

C'était par une journée pluvieuse de juin.

De retour du travail sur mon vélo, j'ai été percutée par une voiture sur une route de campagne près de chez moi. Ce n'était pas un accident grave. Je suis tombée de vélo, mais je n'avais pas de blessures visibles.

Je me suis relevée aussitôt et ai pu faire quelques pas, avant de perdre connaissance.

Il m'est difficile de décrire précisément le flot de ma conscience à ce moment-là. Aussi vais-je pour le moment me contenter de te rapporter ce que j'ai, par la suite, pensé être le cours des événements.

Ce qui nous mène à la scène suivante.

Lorsque je suis revenue à moi, j'étais accroupie près d'une usine en ruines, sous la pluie.

Tu comprends ?

C'est le secret que je t'ai dissimulé pendant tout ce temps.

L'été de mes vingt et un ans, j'ai été percutée par une voiture, et j'ai atterri huit ans dans le futur.

Jump.

Mon point fort.

Mais tout de même, ça faisait un sacré saut.

Pour toi qui lis cette lettre à présent, ce que je te raconte vient tout juste de se passer.

Cette migraine persistante dont je me plaignais alors, c'était au choc durant l'accident que je la devais. Les médecins m'ont déclaré par la suite avoir trouvé une petite hémorragie cérébrale. Il m'arrive également de penser que c'est aussi la raison de mon amnésie.

Mais voici les réflexions que je tire de tout cela.

Le cœur humain n'est pas fait pour transcender le temps, et s'il nous arrive par endroits de perdre la mémoire, c'est sans doute dans le but de préserver notre esprit. Car après tout, si j'avais gardé mes souvenirs, je pense que j'en aurais été terriblement perturbée.

Ensuite, lorsque je suis revenue dans mon monde d'origine, j'ai à nouveau perdu la mémoire. Les souvenirs de ces six mois passés avec toi et Yûji.

Ce n'est que deux mois plus tard que j'ai recouvré l'intégralité de mes souvenirs.

Il se peut aussi que, si ce saut temporel était l'œuvre facétieuse du « Quelqu'un » qui a conçu notre monde, mon amnésie ait également été la preuve que ce « Quelqu'un » se souciait de moi.

Maintenant, alors que je t'écris en me remémorant cette époque, je ne puis m'empêcher de croire à l'existence d'une « volonté » qui tente de manœuvrer le destin des hommes. Car ces six semaines ont changé le restant de ma vie.

Ce n'était pas un hasard s'il a été décidé que ce « saut » que j'ai fait à vingt et un ans ait ce temps et ce lieu pour destination. Sans doute ce « Quelqu'un », prenant pitié de moi, m'avait tendu la main, à moi qui souhaitais tellement comprendre les raisons qui avaient motivé ton discours un an auparavant.

C'est encore ce que je pense aujourd'hui.

Tout de même, vous étiez dans un drôle d'état quand je vous ai rencontrés. Toi et Yûji, vivant dans cet appartement sale et désordonné. Portant des vêtements pleins de taches de nourriture, avec des tignasses de sauvageons. Yûji avec l'équivalent d'un an de cire dans les oreilles.

Quand je pense que c'est la situation dans laquelle vous n'allez pas tarder à vous trouver, l'inquiétude me gagne.

Mais tout va bien se passer. Vous allez vous en sortir, sans aucun doute. Même sans moi, vous allez vous serrer les coudes et vivre votre vie à fond.

J'ai confiance.

À cette époque, ton attaque a constitué un choc terrible pour moi. J'y suis à présent habituée, mais c'était alors la première fois que j'y assistais. Je t'avais pourtant dit de ne pas prendre cet antipyrétique, mais je suppose que tu avais dû oublier. Est-ce parce que le règlement nous interdit de changer l'histoire ?

Tu as dû déjà comprendre, en lisant cette confession, pourquoi mes lunettes étaient mal réglées, et pourquoi je n'avais aucune expérience sexuelle.

Tout de même, quelle drôle d'histoire.

La Mio de vingt et un ans a connu sa première étreinte et perdu sa virginité avec le Takumi de vingt-neuf ans. Et puis, deux mois plus tard, j'étais de nouveau dans tes bras.

Tu devais penser alors que c'était la première fois pour tous les deux, mais ce n'était pas tout à fait vrai.

Voilà pourquoi nous n'avons eu aucun mal à ne faire qu'un, cette fois-là.

Je me demande ce que tu en penses.

Est-ce que je t'ai fait de la peine ?

Je pense pourtant que tout cela était idéal. Mais tu vas dire que je raisonne de façon trop pragmatique.

Les six semaines ont passé trop vite.

J'étais très heureuse.

Je suis tombée amoureuse de toi, tu m'as raconté une merveilleuse histoire d'amour, et j'ai eu la joie de découvrir que nous en étions les protagonistes.

Et j'ai rencontré Yûji.

Mon petit bonhomme.

Son Altesse, le prince anglais.

Le Yûji qui allait à l'école primaire me semble un peu plus audacieux que le Yûji actuel.

Ils mûrissent si vite.

Je suis sûre qu'il fera un adulte merveilleux.

Je m'en réjouis d'avance.

Il y a encore quelques choses que j'ai apprises.

Mon destin, consigné dans ton roman.

Que je vais quitter ce monde à l'âge de vingt-huit ans.

Et que je suis un fantôme !

Bien sûr, ça, c'était une erreur de ta part, mais à l'époque, j'y ai cru, totalement.

J'avais constamment le sentiment d'être en suspens, en dehors de la réalité. Votre comportement à tous les deux était tellement peu naturel. Et puis, lorsque nous sortions, je percevais souvent une nuance de doute dans ton regard. Ah, mais tout cela, c'était parce que j'étais un fantôme.

Moi-même j'y croyais, dur comme fer.

Du coup, lorsqu'est venu le temps de la séparation, c'était vraiment difficile. Je pensais sincèrement que j'allais devoir aller sur Archive. Je me sentais seule, à l'idée de m'éloigner de toi. Et puis, j'étais terrifiée à l'idée de disparaître de ce monde.

Je n'oublierai jamais non plus la complainte de Yûji, en larmes.

Quand je pense à toute la peine qu'il va devoir endurer à partir de maintenant, mon cœur se serre. J'aimerais qu'un jour, quand il sera un peu plus grand, tu lui transmettes ceci. Ce que je pense de lui. J'aimerais que tu lui transmettes mes pensées, telles qu'elles sont consignées dans cette lettre. J'espère qu'ainsi, il pourra devenir plus fort et qu'il sera capable de faire face à ce que la vie lui réserve.

Je continue mon histoire.

Après m'être séparée de vous là-bas, je suis revenue à mon époque.

Lorsque j'ai repris connaissance, j'étais étendue dans un lit d'hôpital. Quelques heures seulement s'étaient écoulées depuis l'accident. J'avais fait un bond de huit ans dans le temps, pour revenir exactement là d'où j'étais partie. Mon absence n'avait sans doute pas duré plus d'une fraction de seconde.

L'homme qui conduisait lors de l'accident n'avait rien remarqué d'étrange.

Quant à moi, j'avais complètement perdu la mémoire.

Les souvenirs de ces six semaines passées avec vous avaient bel et bien disparu. Je ne savais plus qui j'étais, et je traversais les jours en regardant défiler les heures, les yeux distraitement posés sur le plafond de ma chambre d'hôpital.

Bientôt, au bout d'un peu plus d'un mois, les souvenirs me sont revenus peu à peu.

J'ai tout d'abord pensé que ces souvenirs ne pouvaient être qu'un fantasme, le produit de mon imagination, créé de toutes pièces.

Mais quel merveilleux fantasme.

J'étais totalement envoûtée, impuissante, par ces six semaines passées avec vous.

Ton baiser.

Nos promenades en forêt.

Ce magnifique petit garçon censé être mon fils.

Le battement incontrôlable de mon cœur lorsque nous faisions l'amour.

Et puis, plus que tout, ce sentiment que chaque fragment de souvenir était peut-être réel, et affectait profondément mes émotions.

Cette joie était-elle bien réelle ?

L'angoisse, la tristesse de la séparation. La tristesse dans tes yeux quand tu m'as dit « Je voulais seulement te rendre heureuse ».

Je n'ai eu de cesse de revisiter ces jours dans mon cœur, et j'ai fini par me convaincre que la vérité était là, que j'avais bien fait un bond de huit ans dans le futur avant d'en revenir. Aussi, lorsque j'ai été suffisamment rétablie pour quitter l'hôpital, mon premier réflexe a-t-il été de téléphoner chez toi.

Ta mère m'a alors dit : « Takumi est en voyage. »

Comme dans l'histoire que tu m'avais racontée.

Ces dires confirmaient mes convictions secrètes. J'ai alors laissé un message à ta mère.

« J'ai à te parler, alors, s'il te plaît, appelle-moi. J'attendrai, peu importe quand. »

À partir de là, j'ai passé mon temps à attendre, sans bouger, devant le téléphone.

Tu allais m'appeler, j'en étais sûre. Et on se donnerait rendez-vous dans une ville au bord d'un lac.

Alors, le téléphone a sonné.

J'ai décroché dès la première sonnerie.

Je n'entendais rien, mais je savais que c'était toi.

C'est pourquoi, sans hésiter, j'ai dit : « Aio-kun ? »

Ta voix semblait pleine d'angoisse.

C'est pourquoi je t'ai rassuré : « Ne t'inquiète pas, tout va bien. »

Dans cette ville au bord du lac, aussi, dans le tunnel piéton, je t'ai dit « Tout va bien ».

Je savais que ces mots te convaincraient de m'épouser.

Plus tard, lorsque tu me l'as demandé, je t'ai répondu que je ne m'en souvenais pas, mais c'était faux. La vérité, c'est que je m'en souvenais parfaitement.

Parce qu'en réalité, ces mots, c'était ma façon de te demander ta main.

À partir de là, il y avait toutes sortes de gens que j'attendais de retrouver dans les jours à venir.

J'ai pu rencontrer à nouveau le professeur Nombre. Il n'était pas très différent de l'allure qu'il aurait huit ans plus tard. Pooh, en revanche, était encore jeune et énergique. Son vrai nom était Alex, comme je l'ai appris lors de ces retrouvailles.

Yûji est né, et les jours se sont écoulés paisiblement.

À cette époque, ces six semaines-là semblaient encore bien loin.

Mes souvenirs en étaient flous, aussi ai-je fini par me demander si, après tout, ce n'était pas un fantasme. Il m'arrivait de le penser. À mesure que réalité et souvenirs coïncidaient, un à un, je me disais que c'était simplement une sensation de déjà-vu.

Peut-être pourrais-je franchir le mur des vingt-huit ans, et continuer de vivre au-delà.

Sans que tu le saches, j'ai commencé à prendre des herbes médicinales, afin d'influencer ma constitution.

Et pourtant...

L'heure est venue, malgré tout.

Il semblerait que nous ne puissions échapper aux lendemains qui ont été déterminés pour nous.

Je pense que tu comprendras sans aucun doute la raison pour laquelle je ne t'ai jamais parlé de tout cela.

Je ne voulais pas que tu saches quel futur douloureux t'attendait. Je voulais que nous vivions comme un couple ordinaire, avec le sourire, en gardant foi en l'avenir.

Et puis, une autre pensée m'avait traversée. Comment réagirais-tu en apprenant que mon appel, ce jour-là, avait été motivé par le récit que tu m'avais fait toi-même de nos années de bonheur ?

Que ferais-tu ?

Tu pourrais essayer de me convaincre, moi, la Mio venue du passé, de ne pas t'épouser. Tu m'aurais peut-être raconté une histoire complètement fantaisiste pour me pousser, une fois revenue dans mon monde, à garder mes distances. Car, sept ans après nos retrouvailles au bord du lac, et trois semaines après t'avoir écrit cette lettre, je vais quitter ce monde, n'est-ce pas ?

Tu auras beau me proclamer le contraire, tu penses peut-être encore que notre mariage y est pour quelque chose dans le fait que ma vie touche à sa fin. Peut-être aurais-tu renoncé à faire un enfant.

Pas vrai ?

Pourtant, lorsque je pense à toutes ces choses, tout se mélange dans ma tête, et je ne comprends plus rien. Après tout, si tu m'avais menti, et si j'avais renoncé à t'épouser, je ne serais pas là, en ce moment, à t'écrire cette lettre. Et cependant, je t'ai bien épousé, cela ne fait aucun doute, et j'ai porté Yûji. Si d'aventure je te montrais cette lettre, ce soir à ton retour du bureau, qu'adviendrait-il de nous ?

Disparaîtrions-nous tous les deux, en un clin d'œil ?

Et si nous avions fait nos vies, chacun de son côté, Yûji ne serait-il donc jamais venu en ce monde ?

C'est extrêmement mystérieux, et je ne parviens pas, dans ma tête, à isoler les réponses.

C'est pourquoi j'ai résolu de me taire, après tout.

Parce que je détesterais n'avoir jamais été avec toi.

Et je détesterais une vie sans Yûji.

Et si je ne m'étais pas rendue dans cette ville au bord du lac, que serait-il advenu ?

Il m'est arrivé, plusieurs fois, de jouer avec ce genre d'idées.

Ce jour-là, alors même que j'étais dans le train à destination du lac, j'y ai réfléchi.

Si, à ce moment-là, j'étais descendue ailleurs, si je ne t'avais pas retrouvé, quel tour aurait pris ma vie ?

Aurais-je épousé quelqu'un d'autre ?

Aurais-je vécu de longues années avec cette personne, pour atteindre un âge avancé ?

Peut-être des jours sereins, paisibles, et raisonnablement heureux m'attendaient-ils.

Mais peut-être, devenue grand-mère, me serais-je dit : Était-ce la vie que j'avais choisie ?

Voulais-je tellement de cette vie, au point d'abandonner quelque chose d'important ?

Le futur que j'ai vu en cette saison des pluies, l'été de mes vingt et un ans.

L'époux puéril dont le visage semble si angoissé lorsque je ne suis pas là.

Et puis, Son Altesse, mon prince anglais.

J'aurais perdu à jamais le temps que je devais passer avec eux.

Je le regretterais, à n'en pas douter.

Je ne le savais que trop bien.

Je vous avais déjà rencontrés tous les deux.

Avec ce souvenir enfoui dans mon cœur, jamais je n'aurais pu supporter une autre vie.

T'épouser, donner naissance à Yûji.

Vous accompagner, toi et mon petit bonhomme, dans ce monde.

Et puis, des souvenirs de ces jours heureux plein le cœur, partir, un sourire sur les lèvres.

Ainsi avais-je décidé en mon for intérieur de ne pas descendre du train avant ma destination, et de venir te retrouver.

J'ai le sentiment de vouloir vivre encore.

Il m'arrive d'avoir tellement peur de ce qui est sur le point d'arriver à mon corps que je ne sais plus quoi faire.

Je regrette beaucoup de ne pas pouvoir être là pour regarder Yûji devenir un homme merveilleux.

Mais c'est la vie que j'ai choisie.

C'est pourquoi...

Ah, Yûji ne va pas tarder à sortir de l'école.

Il faut que j'aille le chercher. Ensuite, j'irai faire les courses et je préparerai votre dîner. Ce soir, c'est le menu préféré de Yûji – du riz au curry.

Il ne me reste plus que quelques repas à préparer et à vous servir. J'aurais aimé pouvoir vous préparer encore tellement plus de bonnes choses.

Je suis désolée.

Je ne pourrai plus.

Cette lettre arrive à sa fin.

J'aurais beau user mon stylo, je ne serai pas capable de te dire tout ce que j'avais à te dire.

Ces quatorze années passées avec toi ont été tellement agréables. Peu importe que nous n'ayons pu partir en voyage, ni contempler ensemble le ciel étoilé du sommet d'un building ; le simple fait d'être à tes côtés me rendait heureuse.

Je pars pour Archive avec un peu d'avance sur toi.

Retrouvons-nous là-bas, un jour.

Je te garderai une place à côté de moi.

Alors, prends bien soin de ta santé, d'accord ?

Je te confie Yûji.

Merci beaucoup.

Je t'aime.

Du fond du cœur.

Adieu.

Mio

Dans l'enveloppe se trouvait également une page arrachée d'un journal intime.

Elle portait la date du 15 août.

L'heure est venue.

Il faut que j'y aille.

À la gare, près du lac, je suis sûre qu'il m'attend.

Mon avenir merveilleux dans les mains.

Attendez-moi, mes deux petits hommes.

Je pars à votre rencontre.

Épilogue

Nous sommes retournés dans la forêt aujourd'hui.

La chemise de Yûji, sur son vélo, brille d'un blanc éclatant.

Ses cheveux bien coupés volettent au vent.

Tu vois, nous nous donnons à fond.

Petit à petit, nous nous efforçons de devenir ce que tu souhaitais pour nous.

Petit à petit, n'est-ce pas ?

Petit à petit.

Poco poco.

Cette vie que tu as laissée, je la cultive.

Tu nous manques.

C'est ce que j'écrirai en guise de chapitre final, au moment de terminer ce roman.

Je cours tranquillement, une quarantaine de minutes, dans la forêt.

Je porte mon short délavé et mon t-shirt KSC.

Yûji me suit, sur son vélo d'enfant.

Il ne m'oblige plus à ralentir. Il pédale avec tant d'adresse qu'on le croirait né sur une bicyclette.

Puis nous sortons du bois pour arriver sur les ruines de l'usine.

Là, il cherche des boulons, des écrous et des ressorts à boudin.

Je m'assieds dans un coin un peu à l'écart de lui, où je m'assoupis.

Mais je sais.

Yûji cache un secret dans la poche de son pantalon. Une lettre pour toi, sur Archive.

De son écriture maladroite (il me ressemble, malheureusement), il l'a adressée à « Aio Mio-sama, Archive ».

Derrière est inscrit « Aio Yûji ».

Il glisse cette lettre dans la boîte de guingois, près de la porte numéro 5. (Il semble penser que c'est une boîte aux lettres.)

Pour une raison qui m'échappe, il se cache de moi. Alors, quand il se perd dans sa chasse aux boulons, je vais récupérer ses lettres dans la boîte, en prenant soin qu'il ne me voie pas.

Je ne les ouvre pas et n'en lis jamais le contenu. Je me contente de les collecter, pour les entreposer dans la boîte à chaussures du placard.

À notre prochaine venue, il opinera du chef en observant que sa lettre a bien disparu de la boîte.

(Je l'observe de près. Tout en faisant mine de dormir.)

C'est ainsi qu'il continue de te raconter son histoire, à toi qui es partie sur Archive.

Les week-ends de pluie, il se montre particulièrement pressé de venir sur les ruines. Nous n'avons alors d'autre choix que de sortir les parapluies et de venir à pied.

J'étale un drap en plastique sur les vestiges du piédestal pour m'y asseoir. Yûji, tout en faisant mine de chercher ses boulons, s'approche pas à pas de la porte numéro 5.

Puis, à voix basse, il t'appelle.

Maman ?

Yûji y croit.

Qu'un jour, tu émergeras de cette porte numéro 5, et que tu reviendras à la maison avec nous.

Ce sera, à coup sûr, par un jour de pluie.

Aujourd'hui encore, le prince anglais, sous son parapluie jaune, t'appelle.

Maman ?

Maman ?

Maman ?

Postface

Je reviendrai avec la pluie est un livre autobiographique. Nombre d'écrivains semblent vouloir renier la part autobiographique de leurs fictions, mais je ne suis pas de cet avis. J'espère simplement raconter les choses avec adresse.

Lorsque mon roman a atteint le million d'exemplaires vendus au Japon, la plupart des questions que l'on me posait tournaient autour de deux points : « Quels passages du livre sont véridiques ? » et « Que pensez-vous du grand amour ? »

À la première, je répondais le plus souvent : « Les éléments qui paraissent normaux relèvent de la fiction ; ceux qui semblent impossibles ou imaginaires sont réels. » (Il va sans dire que mon épouse ne m'est pas apparue sous une forme spectrale. Aujourd'hui encore, elle est heureuse et en bonne santé.) Il en va parfois ainsi de la vie même. Il peut sembler impossible, ou imaginaire, qu'un quadragénaire qui s'est toujours senti en marge de la société ordinaire écrive un roman narrant la relation qui le lie à sa femme, et que le roman en question devienne un bestseller, traduit dans quantité de langues différentes et lu dans le monde entier. Tout comme il peut sembler impossible, ou imaginaire, qu'un simple crayon, coincé puis oublié entre les pages d'un carnet rendu, puisse conduire aux retrouvailles de deux êtres dont la relation était sur le point de s'évaporer.

Ma relation à ma mère et ma relation à ma femme forment la clef de voûte de ce livre. Ma mère a risqué sa vie pour permettre à un fils de faire son entrée dans ce monde. Au final, cette naissance a altéré sa santé, bouleversant sa vie par la suite. Comment ce fils – moi – peut-il vivre avec ? Et que dire de mon épouse, qui a pris la décision de partager la vie d'un homme comme moi, un homme aux si nombreux défauts ? À partir de là, j'ai écrit ce livre de façon pour ainsi dire automatique.

Le hasard a voulu que la publication de mon livre coïncide avec l'explosion, au Japon, du mouvement *Pure Love*, dont la vague est venue m'emporter au passage. Parce que j'avais conscience d'être tout sauf une personne typique, et que ma femme, capable qu'elle était d'aimer un homme comme moi, était sans doute assez extraordinaire elle-même, la seule pensée que notre relation puisse être vue comme une forme idéalisée de l'amour qui lie deux personnes normales m'a profondément consterné. J'ai dit quantité de choses différentes en réponse aux interrogations du public, mais en mon for intérieur, je pensais, « Ce n'est pas un phénomène qui s'est produit selon mes désirs. »

En termes de personnalité, je tombe à n'en pas douter dans la minorité. Je pense que chaque société compte sans doute des membres pareils à moi, incapables de contrôler leur cœur. Ces personnes sont peut-être les mieux à même de comprendre les actes de mon protagoniste.

Mon intention n'a jamais été d'écrire pour un groupe restreint de lecteurs, cependant. Mon but premier était d'écrire une histoire divertissante, que les gens puissent lire avec plaisir.

Ce roman reprend la trame d'une histoire de fantôme traditionnelle pour évoquer le temps et la mémoire. Il ne comporte ni maléfice ni violence (pour tout dire, il est plutôt sentimental). À mes yeux, pourtant, c'est ce qui lui prête son réalisme. Je suis ébahi, ravi qu'une voix émergeant naturellement de ma chair ait pu atteindre des contrées si lointaines. Dans le même temps, j'espère sincèrement que l'essence véritable de ce récit vous aura été transmise avec adresse.

Takuji Ichikawa, avril 2006

10554

Composition
NORD COMPO

Achevé d'imprimer en Espagne
par BLACKPRINT CPI
le 23 mai 2014.

Dépôt légal décembre 2014.
EAN 9782290070826
OTP L21EPLN001107B003

ÉDITIONS J'AI LU
87, quai Panhard-et-Levassor, 75013 Paris

Diffusion France et étranger : Flammarion